Phr k
Englisn-Portuguese

PORTO EDITORA

JUN/2007   Dep. Legal N.º 229381/05   ISBN 978-972-0-31930-2

Este livro foi produzido na unidade industrial do **Bloco Gráfico, Lda.**, cujo **Sistema de Gestão Ambiental** está certificado pela APCER, com o n.º 2006/AMB.258

Produção de livros escolares e não escolares e outros materiais impressos.

FOREWORD

This **English-Portuguese Phrase Book** will be an invaluable help in your travel to Portugal. It gives you the fundamental basis for efficient communication in the most frequent situations that may occur during either a pleasure or business trip.

To give you easy access and quick reference, this **Phrase Book** is organized in different sections. The first, *Quick Reference*, is the core of this book. It contains the fundamental vocabulary and the most used daily-life expressions.

In the other sections you will find more detailed information on several subjects (like *Driving* or *Eating and Drinking*), with all the important vocabulary and expressions for each situation. The use of drawings makes the essential vocabulary easier to find.

In the section related to *The menu*, the general structure is not followed. Instead, the Portuguese word is given first so that it will be easier for you to understand the menu at any restaurant.

For a certain situation you will also find related subjects referred to at the bottom of the pages.

Index

Quick reference

Basic expressions   Expressões essenciais

- Yes.   →   **Sim.**
- No.   →   **Não.**
- Maybe.   →   **Talvez.**
- I know.   →   **Sei.**
- I don't know.   →   **Não sei.**
- I didn't know that.... .   →   **Não sabia que...**
- Please.   →   **Por favor (p.f.).**
- Thanks/Thank you/Thank you very much.   →   **Obrigado / Muito obrigado.**
- Not at all / you're welcome.   →   **De nada.**
- No thanks.   →   **Não obrigado.**

- I'm English.   →   **Sou inglês / inglesa.**
- I don't speak Portuguese very well.   →   **Não falo muito bem português.**
- Do you speak English?   →   **Fala inglês?**
- Does anybody speak English?   →   **Alguém fala inglês?**
- I don't understand.   →   **Não compreendo.**
- Do you mind repeating it please?   →   **Importa-se de repetir, por favor?**
- Do you understand what I'm saying?   →   **Compreende-me?**
- Please speak slower.   →   **Por favor, fale (mais) devagar.**
- What does this mean?   →   **O que é que isto quer dizer?**
- Do you mind translating this for me?   →   **Importa-se de me traduzir isto?**
- How do you say... in Portuguese?   →   **Como é que se diz em português...?**
- Please write it down.   →   **Escreva, por favor.**

- Could you please help me?   →   **Pode ajudar-me, por favor?**
- What's that?   →   **O que é aquilo?**
- Could you tell me / give me / show me... ?   →   **Pode dizer-me / dar-me / mostrar-me...?**
- Here is.... .   →   **Aqui está...**

   Calling someone p. 10 ▪ Who? Indicating someone p. 17 ▪ What? Indicating something p. 18

• I like that.	→	**Gosto disso.**
• I don't like that.	→	**Não gosto disso.**
• That's fine / OK.	→	**Está bem.**
• Just a moment.	→	**Só um momento.**
• This way.	→	**Por aqui.**
• Come in.	→	**Entre.**
• You're right.	→	**Tem razão.**
• You're wrong.	→	**Não tem razão.**
• Leave me alone.	→	**Deixe-me em paz.**
• Excuse me.	→	**Com licença.**
• I'm sorry.	→	**Desculpe-me.**
• I'd like to apologize for... .	→	**Queria pedir desculpa....**
• Am I disturbing / bothering?	→	**Estou a incomodar?**
• Sorry to bother you.	→	**Desculpe ter incomodado.**
• It doesn't matter / Never mind.	→	**Não tem importância.**
• Don't worry.	→	**Não se preocupe.**

entrance	entrada	forward	p. a frente	on	em cima
exit	saída	in front	à frente	over / above / on top (of)	por cima
(on the) left	(à) esquerda	behind	atrás	down / beneath	em baixo
(on the) right	(à) direita	at the back	por detrás	under	por debaixo

Calling someone   Chamar alguém

`expressions`

▪ Excuse me
   sir /
   madam /
   miss...!
	→ Desculpe-me
	   senhor /
	   senhora /
	   menina...!

▪ Could you please help me?	→ Por favor, pode ajudar-me?
▪ Waiter / Waitress, please!	→ Sr. empregado / empregada, por favor!
▪ Taxi!	→ Táxi!

Greeting   Cumprimentar alguém

`expressions`

▪ Welcome!	→ Bem-vindo(a)(os)!

▪ Good morning / Good afternoon,
   sir /
   madam /
   miss /
   ladies / gentlemen!
	→ Bom dia / Boa tarde
	   senhor /
	   senhora /
	   menina /
	   senhoras / senhores!

▪ Have a nice day /
   a pleasant afternoon.
	→ Desejo-lhe um bom dia /
	   uma boa tarde.

▪ Good evening.	→ Boa noite.
▪ Good night.	→ Boa noite.
▪ Sleep well.	→ Durma bem.
▪ Sweet dreams!	→ Bons sonhos!
▪ Hi! / Hello!	→ Viva! / Olá!
▪ How are you? / How do you do? (formal)	→ Como está?
▪ Fine, thanks.	→ Bem, obrigado.
▪ And you?	→ E você / vocês?

- Did you have a nice trip? → Fez / Fizeram boa viagem?
- Merry Christmas! → Feliz Natal!
- Happy New Year! → Feliz Ano Novo!
- Happy Easter! → Páscoa Feliz!
- Happy Birthday! → Parabéns!
- Congratulations! → Sinceros parabéns!
- Best Wishes! → Os meus cumprimentos!
- Please accept my condolences! → Sentidas condolências!
- Cheers! → À vossa saúde!
- Bless You! → Santinho!

Personal identification, introducing yourself / someone

Identificar-se, apresentar-se, apresentar alguém

expressions

- May I introduce myself? I'm.... → Posso apresentar-me? Sou....
- Meet
  Mr... /
  Mrs... /
  Miss....
  → Apresento-lhe
  o senhor... /
  a senhora... /
  a menina....
- Meet
  my wife... /
  my husband....
  → Apresento-lhe
  a minha mulher... /
  o meu marido....
- Pleased to meet you. → Muito prazer (em conhecê-lo).
- What's your name? → Qual é o seu nome?
- How old are you? → Que idade tem?
- I'm... years old. → Tenho... anos.
- Do you live near here? → Mora aqui perto?
- Yes, I live in ...Street / Avenue. → Sim, moro na rua / avenida....
- No, I don't live here. I'm from.... → Não, não moro aqui. Sou de....

Asking questions p. 16 ▪ *Who? Indicating someone* p. 17 ▪ *Ciphers and numbers* p. 18 ▪ *Inviting someone* p. 34

Urgent situations **Urgências**

Forgetfulnesses

- I've forgotten my
  car /
  room /
  house key.

- I've forgotten my
  wallet (purse) /
  money /
  cheques /
  credit card.

Esquecimentos

→ Esqueci-me da chave
  do carro /
  do quarto /
  de casa.

→ Esqueci-me
  da minha carteira /
  do meu dinheiro /
  dos meus cheques /
  do meu cartão de crédito.

Thefts / robberies

- Where's the police station?

- I'd like to lodge a complaint / press charges.

- They've stolen my
  handbag /
  suitcase.

- I was threatened with a
  gun /
  knife /
  syringe.

- They've stolen my car with all the luggage.

Roubos

→ Onde é a esquadra da polícia?

→ Quero apresentar uma queixa.

→ Roubaram-me
  a bolsa /
  a mala.

→ Ameaçaram-me com uma
  pistola /
  faca /
  seringa.

→ Roubaram-me o carro com toda a bagagem.

Accidents

- Ask for help / First aid.

- Call an ambulance quickly!

- Call for help.

- Cry for help.

- Phone SOS.

- Don't change the person's position.

- Keep an eye on her / him while you wait for the ambulance.

- Place the person in lateral security position (sideways, with the head slightly backwards).

Acidentes

→ Pedir socorro / primeiros socorros.

→ Chame uma ambulância depressa!

→ Chame ajuda.

→ Grite por auxílio.

→ Telefone para o SOS.

→ Não mude a pessoa de posição.

→ Vigie-a enquanto espera pela ambulância.

→ Instale-a numa posição lateral de segurança (de lado, com a cabeça ligeiramente para trás).

Ask for medical assistance — Pedir assistência médica

- Is there any doctor here? → Há algum médico aqui?

- Call for a doctor quickly! → Chame um médico depressa!

- We need a doctor. → É preciso um médico.

- Give me the address of the pharmacy on duty. → Dê-me a morada da farmácia de serviço.

Contacts / telephone numbers — Contactos / números de telefone

The Fire Brigade — **Bombeiros**

- Call the Fire Brigade / firemen. → Chame os bombeiros.

Telephone number / N.° de telefone _____

The police — **Polícia**

- Help! → Socorro!
- Call the police. → Chame a polícia.
- I'd like
  to lodge a complaint /
  notify the police of a theft.
  → Quero
  apresentar queixa /
  participar um furto.

Telephone number / N.° de telefone _____

The insurance company — **Companhia de seguros**

- My insurance company is... → A minha companhia de seguros é...

Telephone number / N.° de telefone _____

The Embassy / The Consulate — **Embaixada / Consulado**

- I'm English. → Sou inglês.
- I'd like to speak to
  my Embassy /
  my Consulate /
  the Embassador /
  the Consul.
  → Quero falar com
  a minha embaixada /
  o meu consulado /
  o embaixador /
  o cônsul.

Telephone number / N.° de telefone _____

The hotel — **Hotel**

- Could you show me the way to ...street. → Pode indicar-me o caminho para a rua...

Telephone number / N.° de telefone _____

Accidents p. 80

Family relations **Graus de parentesco**

• aunt	tia	• parents	pais
• brother	irmão	• sister	irmã
• brother-in-law	cunhado	• sister-in-law	cunhada
• children	filhos	• son	filho
• cousin	primo(a)	• son-in-law	genro
• daughter	filha	• stepdaughter	enteada
• daughter-in-law	nora	• stepfather	padrasto
• father / daddy / dad	pai / papá	• stepmother	madrasta
• father-in-law	sogro	• stepson	enteado
• goddaughter	afilhada	• uncle	tio
• godfather	padrinho	• wife	esposa
• godmother	madrinha		
• godson	afilhado		
• grandchildren	netos		
• granddaughter	neta		
• grandfather	avô		
• grandmother	avó		
• grandparents	avós		
• grandson	neto		
• great-grandchildren	bisnetos		
• great-granddaughter	bisneta		
• great-grandfather	bisavô		
• great-grandmother	bisavó		
• great-grandparents	bisavós		
• great-grandson	bisneto		
• husband	marido		
• mother / mummy / mum	mãe / mamã		
• mother-in-law	sogra		
• nephew	sobrinho		
• niece	sobrinha		

adopt	adoptar
adoption	adopção
bride	noiva
bridegroom	noivo
divorce	divórcio
divorced	divorciado(a)
eldest son	filho mais velho
firstborn	primogénito
marriage	casamento
married	casado(a)
old age	velhice
single	solteiro(a)
(to be) of age	maior de idade
(to be) under aged	menor de idade
to bring up / educate	criar / educar
to get divorced	divorciar-se
to separate	separar-se
widower(widow)	viúvo(a)
youngest son	filho mais novo
youth	juventude

expressions

▪ I'm single / divorced / a widower (widow).	→ Sou solteiro(a) / divorciado(a) / viúvo(a).
▪ We've been married for five years.	→ Somos casados há cinco anos.
▪ We're celebrating our silver / golden wedding anniversary.	→ Festejamos as bodas de prata / de ouro.
▪ We've been separated for two years.	→ Estamos separados há dois anos.
▪ We're getting divorced.	→ Pedimos o divórcio.
▪ We're getting married in a month's time.	→ Casamos daqui um mês.
▪ My wife gave birth to a baby boy / girl a week ago.	→ A minha mulher deu à luz um menino / uma menina há uma semana.
▪ We've got three children.	→ Temos três filhos.
▪ We haven't got any children yet.	→ Ainda não temos filhos.
▪ We'd like to adopt a child.	→ Queremos adoptar uma criança.

Professions Profissões

expressions

▪ What's your job? / What do you do? (formal)	→ Qual é sua profissão? / O que faz?
▪ I'm a... / an...	→ Sou...

businessman	empresário(a)	nurse	enfermeiro(a)
cook	cozinheiro(a)	photographer	fotógrafo(a)
dentist	dentista	pilot	piloto
doctor	médico(a)	policeman	polícia
engineer	engenheiro(a)	student	estudante
fireman	bombeiro	taxi driver	taxista
journalist	jornalista	teacher	professor(a)
judge	juiz (juíza)	tradesman	comerciante
lawyer	advogado(a)	waiter (waitress)	empregado(a) de café
mechanic	mecânico		

Asking questions p. 16

Asking questions Interrogar

expressions

Usual way

- Do you speak English?
- Yes, I do.
- No / I'm sorry, I don't speak Portuguese.
- Could you explain... to me?
- Just a moment, I'm going to look it up.
- Is it...?
- Is there...?
- Are there...?

Forma geral

→ Fala inglês?

→ Sim, falo.

→ Não / Lamento, não falo português.

→ Pode explicar-me...?

→ Um momento, vou ver se está no livro.

→ É...?

→ Há...? (singular)

→ Há...? (plural)

Ask for information / an object

- Could you give me...?
- Could you give us...?
- Could you
   show me /
   tell me...?
- I'd / We'd want /
   I'd / We'd like...
   this /
   that /
   another.
- Please give me....
- Give it to me please.
- Bring me....
- Bring it to me.
- Send me....
- Send it to me.
- Where is...?

Pedir uma informação / um objecto

→ Pode dar-me...?

→ Pode dar-nos...?

→ Pode
   mostrar-me /
   dizer-me...?

→ Queria / Queríamos /
   Gostaria / Gostaríamos
   deste /
   daquele /
   de outro.

→ Por favor, dê-me....

→ Dê-mo, p.f..

→ Traga-me....

→ Traga-mo.

→ Envie-me....

→ Envie-mo.

→ Onde é...?

Indicating a place p. 25 ▪ *Describing something or someone* p. 27

- It's here. → É aqui.
- It's not here. → Não é aqui.
- Have you got...? → Tem...?
- Yes, I have. → Tenho, sim.
- No, I haven't. → Não tenho.
- There isn't (sing.) / aren't (pl.).... → Não há....

Ask for help | Pedir ajuda

- Could you please help me? → Pode ajudar-me, p.f.?
- I don't find... Could you possibly show me the way? → Não encontro... É possível indicar-me o caminho?
- Who should I ask to obtain this information? → A quem devo dirigir-me para obter estas informações?
- Who could help me? → Quem poderia ajudar-me?

Ask for permission | Pedir autorização

- May I come in / go across? → Posso entrar / passar?
- May we take photographs? → Podemos tirar fotografias?
- Is it possible...? → É possível...?
- Will this be allowed? → Será que isto é permitido?

Who? Indicating someone | Quem? Indicar alguém

- Who is it? → Quem é?
- It's.... → É....
- Who are you Sir? → Quem é o senhor?
- I'm..., my name is.... → Sou..., chamo-me....
- Who's responsible / the manager? → Quem é o responsável / o gerente?
- Who should I talk to? → Com quem devo falar?
- I don't know who you could talk to. → Não sei com quem poderá falar.

Quick reference

What? Indicating something

- What is this?
- It's / They're....
- What does this / that stand for / represent?
- I don't know what it is.
- Can you see that over there?
- That
  at the back /
  under /
  on top of....
- Could you please show me that object?

O quê? Indicar algo

→ O que é isto?
→ É / São....
→ O que é que isto / aquilo representa?
→ Não sei o que é.
→ Está a ver ali?
→ Aquilo
  ao fundo /
  por baixo de /
  por cima de....
→ Pode mostrar-me esse objecto, por favor?

Ciphers and numbers Algarismos e números

Cardinal numbers Os cardinais

0 ... zero	13 ... treze	40 ... quarenta	80 ... oitenta
1 ... um	14 ... catorze	41 ... quarenta e um	81 ... oitenta e um
2 ... dois	15 ... quinze	42 ... quarenta e dois	82 ... oitenta e dois
3 ... três	16 ... dezasseis	50 ... cinquenta	90 ... noventa
4 ... quatro	17 ... dezassete	51 ... cinquenta e um	91 ... noventa e um
5 ... cinco	18 ... dezoito	52 ... cinquenta e dois	92 ... noventa e dois
6 ... seis	19 ... dezanove	60 ... sessenta	100 ... cem
7 ... sete	20 ... vinte	61 ... sessenta e um	101 ... cento e um
8 ... oito	21 ... vinte e um	62 ... sessenta e dois	200 ... duzentos
9 ... nove	22 ... vinte e dois	70 ... setenta	201 ... duzentos e um
10 ... dez	30 ... trinta	71 ... setenta e um	1000.... mil
11 ... onze	31 ... trinta e um	72 ... setenta e dois	2000.... dois mil
12 ... doze	32 ... trinta e dois		1 000 000 ... um milhão

Ordinal numbers **Os ordinais**

1.°	primeiro	11.°	décimo primeiro	21.°	vigésimo primeiro
2.°	segundo	12.°	décimo segundo	30.°	trigésimo
3.°	terceiro	13.°	décimo terceiro	40.°	quadragésimo
4.°	quarto	14.°	décimo quarto	50.°	quinquagésimo
5.°	quinto	15.°	décimo quinto	60.°	sexagésimo
6.°	sexto	16.°	décimo sexto	70.°	septuagésimo
7.°	sétimo	17.°	décimo sétimo	80.°	octogésimo
8.°	oitavo	18.°	décimo oitavo	90.°	nonagésimo
9.°	nono	19.°	décimo nono	100.°	centésimo
10.°	décimo	20.°	vigésimo	1000.°	milésimo
				the last	último

Currency **A moeda**

Euro	euro
Cent	cent; cêntimo
Australian Dollar	dólar australiano
Canadian Dollar	dólar canadiano
New Zealand Dollar	dólar da Nova Zelândia
Pound Sterling	libra inglesa
South African Rand	o rand da África do Sul
US Dollar	dólar dos Estados Unidos
Zimbabwean Dollar	dólar do Zimbabwe

The metric system **O sistema métrico**

length (comprimento)		
Metric (Sistema Internacional Métrico)		UK and USA
10 mm (milímetros)	= 1 cm (centímetro)	= 0,394 in (inches)
100 cm (centímetros)	= 1 m (metro)	= 39,4 in (inches) or 1,094 yd (yards)
1000 m (metros)	= 1 km (quilómetro)	= 0,6214 mile or about 5:8 mile

weight (peso)	
Metric (Sistema Internacional Métrico)	UK and USA
10 mg (miligramas) = 1 cg (centigrama)	= 0,154 grain
100 cg (centigramas) = 1 g (grama)	= 15,43 grains
1000 g (gramas) = 1 kg (quilograma)	= 2,205 pounds
1000 kg (quilogramas) = 1 t (tonelada)	= 19,688 hundredweight

Measure of capacity (capacidade)		
UK	USA	Metric (S. I. Métrico)
4 grills = 1 pt (pint)	= 1,201 pints	0,568 (litre)
2 pints = 1 qt (quart)	= 1,201 quarts	1,136 (litres)
4 quarts = 1 gal (gallon)	= 1,201 gallons	4,546 (litres)

Expressing quantity, measurement and size

Indicar uma quantidade, uma medida, um tamanho

expressions

How much does it weigh?

- It's got
  a hundred grams (grammes) /
  half a kilo /
  a kilo /
  a ton.

- It's light / heavy.

What's its length?

- It's got
  five millimetres /
  ten centimetres /
  a metre /
  three kilometres.

- It's (far too)
  short /
  long.

Quanto pesa?

→ Tem
  cem gramas /
  meio quilo /
  um quilo /
  uma tonelada.

→ É leve / pesado.

Quanto é que mede?

→ Tem
  cinco milímetros /
  dez centímetros /
  um metro /
  três quilómetros.

→ É (demasiado)
  curto /
  comprido.

▪ What size do you usually wear?	→ Que tamanho usa habitualmente?
▪ I'm size 38.	→ Visto 38.
▪ It might be a medium-size.	→ Deve ser o tamanho médio.
▪ What size(s) have you got?	→ Que tamanho(s) tem?
▪ What size shoes do you wear?	→ Quanto calça?
▪ I wear size… .	→ Calço… .
▪ Have you got that size?	→ Tem esse tamanho?

What's its capacity? / How much does it take?

Quanto é que leva / contém?

▪ It takes a quarter / half a litre / six decilitres / seventy five centilitres / a litre / five litres.	→ Leva um quarto (de litro) / meio litro / seis decilitros / setenta e cinco centilitros / um litro / cinco litros.
▪ It's little / much (a lot) / too much.	→ É pouco / muito / demasiado.
▪ It's not enough.	→ Não chega.
▪ It's enough.	→ Chega.

Mentioning time Indicar um momento

vocabulary

The time, the date (months, days of the week)

O tempo, a data (meses, dias de semana)

♦ When?	Quando?	♦ at night	à noite
♦ the / this morning	a / esta manhã	♦ the dawn	a aurora
♦ the day	o dia	♦ the sunrise	o nascer do Sol
♦ the journey	o dia / a jornada	♦ the daybreak	a madrugada
♦ the afternoon	a tarde	♦ the nightfall	o entardecer
♦ the night	a noite	♦ the sunset	o pôr do Sol

The weather p. 28 ▪ *Commerce and services* p. 110

◆ yesterday	ontem		◆ seventh January	sete de Janeiro
◆ today	hoje		◆ the hour / time	a hora
◆ tomorrow	amanhã		◆ the minute	o minuto
◆ eve / the day before	a véspera		◆ the second	o segundo
◆ the following day	o dia seguinte		◆ half an hour	uma meia-hora
◆ three days ago	há três dias		◆ quarter of an hour	o quarto de hora
◆ after tomorrow	depois de amanhã		◆ midday	meio-dia
◆ within two days	dentro de dois dias		◆ midnight	meia-noite
◆ within three days	dentro de três dias		◆ early	cedo
◆ the day off	o dia de folga		◆ late	tarde
◆ the public holiday	o dia feriado		◆ on time	a horas / a tempo

The days of the week Os dias da semana

Monday	segunda-feira
Tuesday	terça-feira
Wednesday	quarta-feira
Thursday	quinta-feira
Friday	sexta-feira
Saturday	sábado
Sunday	domingo

◆ the weekend	o fim-de-semana
◆ at the weekend	no fim-de-semana
◆ the week	a semana
◆ last week	a semana passada
◆ next week	na próxima semana
◆ in two weeks / two weeks from now	daqui a duas semanas

The months Os meses

◆ the month of...	o mês de...
◆ last month	o mês passado
◆ next month	o próximo mês
◆ the month before / the following month	o mês anterior / seguinte
◆ within six months	dentro de seis meses
◆ in mid-September	em meados de Setembro
◆ since October	desde Outubro
◆ during the month of December	durante o mês de Dezembro

January	Janeiro
February	Fevereiro
March	Março
April	Abril
May	Maio
June	Junho
July	Julho
August	Agosto
September	Setembro
October	Outubro
November	Novembro
December	Dezembro

expressions

▪ What day is it today?	→	Que dia é hoje?
▪ Today's Sunday.	→	Hoje é domingo.
▪ What time is it? / What's the time?	→	Que horas são?
▪ Would you please tell me the time?	→	Pode dizer-me as horas, por favor?
▪ It's…	→	É… / São…
one o'clock /		uma hora /
two o'clock /		duas horas /
ten past three /		três e dez /
quarter past three /		três e um quarto /
twenty past three /		três e vinte /
half past three /		três e meia /
twenty to four /		quatro menos vinte /
quarter to four /		quatro menos um quarto /
ten to four /		quatro menos dez /
exactly five o'clock, five on the dot /		cinco horas em ponto /
six in the afternoon /		seis da tarde /
twenty-two past six.		seis e vinte e dois.
▪ It's ten to seven.	→	Faltam dez minutos para as sete.
▪ How long is it before nine o'clock?	→	Quanto falta para as nove?
▪ Three quarters of an hour.	→	Três quartos de hora.
▪ It'll be midday in half an hour's time.	→	Daqui a meia hora é meio-dia.
▪ My watch has stopped.	→	O meu relógio parou.
▪ My watch isn't working.	→	O meu relógio não funciona.
▪ My watch is fast.	→	O meu relógio está adiantado.
▪ It's five minutes slow.	→	Está atrasado cinco minutos.
▪ I'm late.	→	Estou atrasado.
▪ I'm early.	→	Estou adiantado.
▪ I didn't bring the alarm clock.	→	Não trouxe o despertador.
▪ Set the alarm clock for seven o'clock in the morning.	→	Põe o despertador para as sete da manhã.
▪ At what time did the alarm clock ring?	→	A que horas tocou o despertador?
▪ The alarm clock didn't ring this morning.	→	Esta manhã o despertador não tocou.
▪ Please wake me up at six o'clock in the morning.	→	Acorde-me às 6 horas da manhã, por favor.

Ciphers and numbers p. 18

- What time does... open / close? → **A que horas abre / fecha...?**
- It opens / closes at.... → **Abre / fecha à(s)....**
- How long does it take? → **Quanto tempo demora?**
- At what time does it finish? → **A que horas termina?**
- At what time should I come? → **A que horas devo vir?**
- Could I come at...? → **Posso vir à(s)...?**
- I'll be back in an hour. → **Voltarei daqui a uma hora.**

The seasons of the year

As estações do ano

- spring → **Primavera**
- summer → **Verão**
- autumn → **Outono**
- winter → **Inverno**
- in the spring → **na Primavera**
- in the summer → **no Verão**
- in the autumn → **no Outono**
- in the winter → **no Inverno**
- during the spring → **durante a Primavera**

Anteriority, posterity, simultaneousness

Anterioridade, posteridade, simultaneidade

- Before... → **Antes de...**
- Prior to... → **Antes que...**
- While... → **Enquanto...**
- After... → **Depois de...**
- As soon as / the moment... → **Assim que...**
- No sooner... → **Mal...**
- During... → **Durante...**
- At the same time as... → **Ao mesmo tempo que...**
- For the time being... → **Por enquanto...**
- Everytime that... → **Cada vez que...**
- Whenever... → **Sempre que...**

Sequence

- First...
- In the second place...
- In the third place...
- Afterwards / Then...
- Finally...

Sequência

→ Primeiro...
→ Em segundo lugar...
→ Em terceiro lugar...
→ Em seguida...
→ Finalmente...

Duration

- I've been waiting for an hour.
- I've been here since three o'clock.
- I've been here for three hours.
- Three years ago...
- ... until / till...
- ... since...

Duração

→ Já faz uma hora que estou à espera.
→ Estou aqui desde as três horas.
→ Estou aqui há três horas.
→ Há três anos atrás...
→ ... até (que)...
→ ... desde (que)...

Indicating a place Indicar um local

vocabulary

◆ as far as / until	até ao	◆ on the left	à esquerda
◆ before	antes	◆ on the right	à direita
◆ beneath / below	em baixo	◆ out	fora
◆ for / to	para	◆ over	sobre
◆ here	aqui	◆ then / after	depois
◆ in / at	em	◆ there	ali
◆ inside	dentro	◆ through	através
◆ near / by the side	ao lado	◆ until / till	até à
◆ next to / close to	junto a (ao)	◆ up there	lá em cima
◆ on	em cima	◆ up to	até

expressions

The location

- Where...?
- Where is / are...?
- The bank's over there, on the right.

A localização

→ Onde...?
→ Onde está / estão...?
→ O banco fica ali, à direita.

Describing something or someone p. 27

The geographical location, the countries

A localização geográfica, os países

- the north — o norte
- the south — o sul
- the east — o este / leste
- the west — o oeste
- Where are you from? / Which country do you come from? — Donde vem? / De que país vem?
- I come from.... — Venho do, de, da, dos, das....

Some countries Alguns países

Albania	Albânia	Italy	Itália
Algeria	Argélia	Japan	Japão
Andorra	Andorra	Latvia	Letónia
Argentina	Argentina	Liechtenstein	Liechtenstein
Australia	Austrália	Lithuania	Lituânia
Austria	Áustria	Luxembourg	Luxemburgo
Belgium	Bélgica	Macedonia	Macedónia
Brazil	Brasil	Mexico	México
Bulgaria	Bulgária	Moldavia	Moldávia
Byelorussie	Bielorrússia	Morocco	Marrocos
Canada	Canadá	Norway	Noruega
Chile	Chile	Paraguay	Paraguai
China	China	Portugal	Portugal
Croatia	Croácia	Romania	Roménia
Cyprus	Chipre	Russia	Rússia
Czech Republic	República Checa	Scotland	Escócia
Denmark	Dinamarca	Slovenia	Eslovénia
England	Inglaterra	South Africa	África do Sul
Estonia	Estónia	Spain	Espanha
Finland	Finlândia	Sweden	Suécia
France	França	Switzerland	Suíça
Germany	Alemanha	The Netherlands	Holanda
Greece	Grécia	Turkey	Turquia
Hungary	Hungria	Ukraine	Ucrânia
Iceland	Islândia	United States	Estados Unidos da América
India	Índia	Uruguay	Uruguai
Ireland	Irlanda	Wales	País de Gales
Israel	Israel		

Describing something or someone

Descrever algo ou alguém

vocabulary

To describe someone, something, a place

Descrever alguém, algo, um local

It's...	É...		
big	grande	right	certo
small	pequeno	wrong	errado
beautiful / handsome	bonito	fast / quick	rápido
		slow	lento
nice (chair)	bonita (cadeira)	heavy	pesado
ugly	feio	light	leve
young	jovem	full	cheio
elderly / aged	idoso	empty	vazio
nice / kind	simpático	hot	quente
unpleasant / rude	antipático	cold	frio
new	novo	near / close	perto
old	velho	far	longe
good	bom	opened	aberto
bad	mau	closed	fechado
better	melhor	early	cedo
worse	pior	late	tarde
easy	fácil	cheap	barato
difficult	difícil	expensive	caro

Colours and shapes Cores e formas

It's...	É...		
beige	bege	violet	roxo / violeta
black	amarelo(a)	white	branco
blue	azul	wine-coloured	cor de vinho / bordeaux
azure/sky-blue	celeste		
dark blue	escuro	yellow	amarelo
light blue	claro	bright / shining	brilhante
navy blue	marinho	golden	dourado
brown	castanho(a)	silver-coloured	prateado
green	verde	circle	círculo
grey	cinzento(a)	hexagon	hexágono
lilac	cor de laranja	lozenge	losango
orange	cor de pérola	oval	oval
pink	cor de rosa	rectangle	rectângulo
purple	púrpura	square	quadrado
red	vermelho	triangle	triângulo

expressions

The weather		O tempo atmosférico
What's the weather like?	→	Como está o tempo?
The weather's fine today.	→	Hoje está bom tempo.
It's hot.	→	Está calor.
The air is very humid.	→	O ar está muito húmido.
It rained yesterday.	→	Ontem choveu.
Let's hope it stops raining.	→	Esperemos que deixe de chover.
It's very windy.	→	Há muito vento.
It's very cold.	→	Faz muito frio.
Everything's frozen.	→	Está tudo gelado.
It might snow this afternoon.	→	Talvez neve esta tarde.
It snowed the whole night.	→	Nevou durante toda a noite.
The weather is becoming worse / better.	→	O tempo está a piorar / melhorar.
The sky is cloudy.	→	O céu está nublado.
Look, a rainbow!	→	Olhe, um arco-íris!
It's a pleasant / unpleasant season.	→	É uma estação agradável / desagradável.
It's going to be a (very) hot / rainy summer.	→	Vai ser um Verão (muito) quente / chuvoso.
It's a humid spring / a dry autumn.	→	É uma Primavera húmida / um Outono seco.
It's the rainy season.	→	É a estação das chuvas.
We foresee a pleasant winter.	→	Prevê-se um bom Inverno.

Comparing **Comparação**

vocabulary

• like	como	• even more	ainda mais
• the same	o mesmo / a mesma / os(as) mesmos(as)	• the most	o(a) mais
		• the least	o(a) menos
		• preferably	de preferência
• such as	tal como	• more and more / less and less	cada vez mais / menos
• more... than	mais... que	• in addition	ainda por cima
• less... than	menos... que	• also / too	também
• as much as	tanto como	• as well as	bem / assim como
• a lot / much	muito	• neither / also not	também não

expressions

- I'd prefer a seat by the window. → **Queria um lugar de preferência à janela.**

- That is also not possible. → **Isso também não é possível.**

Expressing relation **Exprimir uma relação**

expressions

Expressing cause	**Exprimir causa**
- Since you have no more accommodation, I'm going to find another hotel.	→ **Já que não tem mais quartos, vou procurar outro hotel.**
- Why?	→ **Porquê?**
- Because...	→ **Porque...**
- As...	→ **Como...**
- Since / Seeing that...	→ **Visto que...**
- Because of...	→ **Por causa de...**
- Thanks to...	→ **Graças a...**

Expressing condition

- We'll call a taxi if you'd like.
- Only if you'd prefer to wait a little longer.
- If...
- If... then...
- If you'd like...
- On condition that...
- Since...
- Unless / Only if...

Exprimir condição

→ Se quiser, podemos chamar um táxi.
→ Só se preferir esperar mais um pouco.
→ Se...
→ Se... então...
→ Se quiser...
→ Na condição de...
→ Desde que...
→ A menos que / Só... se...

Expressing opposition

- We liked this visit to the museum but yesterday's programme was better.
- ... but...
- Nevertheless...
- However...
- Notwithstanding...
- Even so...
- Though / Although...
- ... in spite of / despite...

Exprimir oposição

→ Gostámos desta visita ao museu, mas preferimos o programa de ontem.
→ ... mas...
→ No entanto...
→ Contudo...
→ Todavia...
→ Mesmo assim...
→ Se bem que...
→ ... apesar de...

Expressing an objective Exprimir um objectivo

`expressions`

Expressing consequence

- It's so interesting that I'll return.
- ... therefore...
- ... consequently...
- ... that's why...
- ... so as to...
- ... so much... that...

Exprimir consequência

→ É tão interessante que voltarei.
→ ... portanto...
→ ... por conseguinte...
→ ... é por isso que...
→ ... de modo a...
→ ... tão... que...

Expressing satisfaction / disapproval (to complain) p. 32

Expressing purpose

▪ I prefer being accompanied by a guide to get to know the city better.

▪ I'm not going to take my wallet / handbag with me.

▪ ... for... / to...

▪ ... in order to... / with the purpose of...

▪ ... so that...

▪ ... afraid of / scared of / in fear of...

▪ ... in order not to...

Exprimir intenção

→ Prefiro ser acompanhado por um guia para conhecer melhor a cidade.

→ Não vou levar a carteira.

→ ... para...

→ ... para que...

→ ... a fim de...

→ ... com medo de / receio de...

→ ... para que não...

Expressing uncertainty

▪ Maybe / Perhaps...

▪ I'm not sure.

▪ I wonder if...?

▪ I need to think about it.

▪ And if it were...?

▪ I don't know what to do.

▪ I don't know who'd be able to help me.

▪ I don't know where to find....

▪ I don't know which one / ones to choose.

Exprimir indefinição

→ Talvez...

→ Não tenho a certeza.

→ Será que...?

→ Preciso de pensar.

→ E se fosse...?

→ Não sei o que fazer.

→ Não sei quem me poderá ajudar.

→ Não sei onde encontrar....

→ Não sei qual / quais escolher.

Saying yes / saying no Afirmação e negação

expressions

▪ Yes.

▪ Of course.

▪ Certainly.

▪ In fact / As a matter of fact...

→ Sim.

→ Com certeza.

→ Certamente.

→ Com efeito...

Expressing certainty and doubt p. 33

▪ Absolutely sure!	→ **Com toda a certeza!**
▪ Exactly!	→ **Exactamente!**
▪ Precisely!	→ **Precisamente!**
▪ No.	→ **Não.**
▪ Also not.	→ **Também não.**
▪ Not yet.	→ **Ainda não.**
▪ By no means / On no account.	→ **De modo nenhum.**
▪ Nothing.	→ **Nada.**
▪ Never.	→ **Nunca.**
▪ None.	→ **Nenhum(a).**
▪ No longer…	→ **Já não…**
▪ Nobody…	→ **Ninguém…**

Expressing satisfaction / disapproval (to complain)
Exprimir agrado / desagrado (reclamar)

`expressions`

▪ I like it very much.	→ **Gosto muito.**
▪ I like it, but I prefer…	→ **Gosto, mas prefiro…**
▪ It's pleasant / good / nice / unpleasant / boring.	→ **É** **agradável /** **bom /** **simpático /** **desagradável /** **aborrecido.**
▪ I didn't like it at all.	→ **Não gostei nada.**
▪ I don't appreciate those kind of things.	→ **Não aprecio esse género de coisas.**
▪ I hate it.	→ **Detesto.**
▪ It's inadmissible / unacceptable.	→ **É inadmissível / inaceitável.**
▪ I'd like to complain.	→ **Quero reclamar.**
▪ I'd like to press charges.	→ **Quero apresentar queixa.**
▪ I won't tolerate that.	→ **Não tolero isso.**

Quick reference

Expressing certainty and doubt
Exprimir a certeza e a dúvida

expressions

• I'm sure about that.	→ **Estou certo disso.**
• Certainly.	→ **Certamente.**
• Probably.	→ **Provavelmente.**
• Apparently.	→ **Aparentemente.**
• Maybe / Perhaps.	→ **Talvez.**
• Supposing that…	→ **Supondo que…**
• If that happened…	→ **Se isso acontecesse…**
• Except if / Only if…	→ **Excepto se…**
• And if...?	→ **E se...?**

Expressing possibility and impossibility
Exprimir a possibilidade e a impossibilidade

expressions

• It's possible / likely impossible / unlikely.	→ **É possível / impossível.**
• It may happen.	→ **É possível que isso aconteça.**
• I don't believe that this will happen.	→ **Não acredito que isto aconteça.**
• And if it happened?	→ **E se acontecesse?**
• It's unlikely.	→ **É pouco provável.**
• It's absolutely possible.	→ **É perfeitamente possível.**
• How could that have happened?	→ **Como é que isso pôde acontecer?**
• How is that possible?	→ **Como é que isso é possível?**
• At times, it happens.	→ **Por vezes, acontece.**
• It's never happened before.	→ **Nunca aconteceu antes.**

Inviting someone   Convidar alguém

expressions

- Would you like to have lunch / dinner with me? → Posso convidá-lo(a) para almoçar / jantar?

- Can I offer you a drink / a coffee? → Posso oferecer-lhe uma bebida / um café?

- Would you like to go dancing / to the cinema tonight / tomorrow? → Quer ir dançar / ao cinema esta noite / amanhã?

To thank / say goodbye   Agradecer / despedir-se de alguém

expressions

- Thanks (a lot). → (Muito) Obrigado.

- Thank you for everything. → Obrigado por tudo.

- Much obliged! → Muitíssimo obrigado!

- Have a nice day / a good (pleasant) afternoon! → Desejo-lhe um bom dia / uma boa tarde!

- Good evening. → Boa noite. (ao serão)

- Sleep well. → Durma bem.

- See you / See you soon. → Até à vista / Até breve.

- Give my regards to your family! → Cumprimentos à sua família!

- Good-bye. → Adeus.

- Have a nice trip. → Boa viagem.

- Good luck. → Boa sorte.

- Enjoy your holidays! → Boas férias!

- Merry Christmas! → Feliz Natal!

- Happy New Year! → Feliz Ano Novo!

- Happy Easter! → Páscoa Feliz!

Travelling

Documents **Documentos**

vocabulary

♦ credit card	cartão de crédito	♦ photograph	fotografia
♦ documents	documentos	♦ registration card	livrete
♦ driver's licence	carta de condução	♦ signature	assinatura
♦ green card	carta verde	♦ vaccination bulletin	boletim de vacinas
♦ identity card	bilhete de identidade		
♦ passport	passaporte	♦ visa	visto

expressions

- Your documents, please. → **Os seus documentos, por favor.**

- Here's / Here are
  my passport /
  our passports /
  my identity card (ID) /
  my visa.
  → **Aqui está / estão
  o meu passaporte /
  os nossos passaportes /
  o meu bilhete de identidade /
  o meu visto.**

- Would you like to see the car documents? → **Quer ver os documentos do carro?**

Customs **Alfândega**

vocabulary

♦ control	controlo	♦ frontier	fronteira
♦ customs	alfândega	♦ frontier station	posto fronteiriço
♦ customs duties	direitos aduaneiros	♦ inspection	inspecção
♦ customs officer	funcionário aduaneiro	♦ receipt	recibo

expressions

▪ Have you got anything to declare?	**Tem alguma coisa a declarar?**
▪ I haven't got anything to declare.	**Não tenho nada a declarar.**
▪ Would you like me to open my suitcase?	**Quer que abra a mala?**
▪ I don't bring any alcoholic drinks nor cigarettes.	**Não trago bebidas alcoólicas nem cigarros.**
▪ I've got a bottle of whisky, of wine / a packet of cigarettes / a bottle of perfume.	**Tenho uma garrafa de uísque, de vinho / um pacote de cigarros / um frasco de perfume.**
▪ It's for personal use.	**É para uso pessoal.**
▪ Must I pay for this? / Do I have to pay for this?	**Devo pagar por isto?**
▪ How much?	**Quanto?**
▪ This isn't new.	**Isto não é novo.**
▪ I've got... in foreign currency.	**Tenho... em moeda estrangeira.**
▪ I think I don't have any duties to pay.	**Penso que não tenho direitos a pagar.**
▪ I've got this parcel.	**Tenho esta encomenda.**
▪ Would you like me to show you the bill of lading?	**Quer que lhe mostre a guia da mercadoria?**

Formalities **Formalidades**

expressions

▪ I'm here on holiday / on business.	**Estou aqui de férias / em negócios.**
▪ How long will you be staying?	**Quanto tempo vai ficar?**
▪ I'm staying a few days / a week / a fortnight / a month.	**Fico alguns dias / uma semana / quinze dias / um mês.**

Mentioning time p. 21

- I still don't know.   → **Ainda não sei.**

- I'm just passing by.   → **Estou de passagem.**

- Complete / Fill in
  this form /
  this departing document.
    → **Preencha
  este formulário /
  este documento de desembarque.**

- You have to mention
  your name /
  date of birth /
  place of birth /
  nationality /
  profession /
  address /
  how long you're staying.
    → **Tem de indicar
  o nome /
  a data de nascimento /
  o local onde nasceu /
  a nacionalidade /
  a profissão /
  a morada /
  o tempo que vai ficar.**

Tourist information Informações turísticas

expressions

- I'd like to visit the area.   → **Queria visitar a região.**

- Which are the most interesting
  places to visit?
    → **O que há de mais interessante
  para visitar?**

- Is there a tourism office
  near here?
    → **Há um posto de turismo
  por aqui?**

- Where is the tourism office?   → **Onde fica o posto de turismo?**

- Is there a guide that speaks
  Portuguese / Spanish / English here?
    → **Há aqui um guia que fale
  português / espanhol / inglês?**

- Could you recommend me
  a touristic circuit /
  a good guide (book) of...?
    → **Pode aconselhar-me
  um circuito turístico /
  um bom guia de...?**

- How much does the circuit cost?   → **Qual é o preço do circuito?**

- What time does the circuit start?   → **A que horas começa o circuito?**

- I'd like to rent a car for the
  whole day.
    → **Queria alugar um carro para
  todo o dia.**

Lodging

Hotel **Hotel**

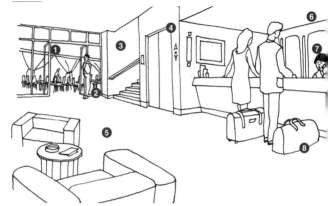

1 the dining-room
a sala de jantar

2 the waiter (waitress)
o(a) empregado(a) de mesa

3 the stairs
as escadas

4 the lift
o elevador

5 the hall
o *hall*

6 the reception
a recepção

7 the receptionist
o(a) recepcionista

8 the luggage
as bagagens

9 the lounge / the living-room
a sala de estar

10 the armchair
a poltrona

---

vocabulary

Accomodation **Alojamento**

director / manager	director / gerente
hotel clerk	empregado de hotel
meals:	refeições:
breakfast /	pequeno-almoço
lunch /	almoço
dinner	jantar
operator	telefonista
porter	porteiro
receptionist	recepcionista
servant /	empregada
chambermaid	de quarto
waiter	empregado de mesa
waitress	empregada de mesa

◆ the director / the manager	o director / o gerente
◆ the servant / the chambermaid	a empregada / a criada de quarto
◆ the hotel clerk	o empregado de hotel
◆ the waiter	o criado de mesa
◆ the waitress	a criada de mesa
◆ the paper-boy	o paquete
◆ the porter	o porteiro
◆ the receptionist	o recepcionista
◆ the switchboard operator	o(a) telefonista
◆ the meals: breakfast / lunch / dinner	as refeições: pequeno--almoço / almoço / jantar

---

Ask for information p. 42 ▪ *Booking, reception p. 42*

Lodging

The room Quarto

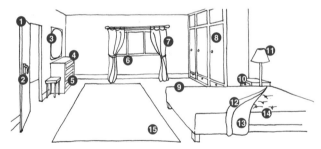

1	the door a porta	**5**	the drawer a gaveta	**9**	the bed a cama	**13**	the sheet o lençol
2	the key / the lock a chave / a fechadura	**6**	the window a janela	**10**	the bedside table a mesa-de-cabeceira	**14**	the mattress o colchão
3	the mirror o espelho	**7**	the curtain a cortina	**11**	the lamp o candeeiro	**15**	the carpet o tapete
4	the chest of drawers a cómoda	**8**	the wardrobe o guarda-fatos	**12**	the blanket o cobertor		

♦ air conditioning	ar condicionado	♦ coat-hanger	cabide
♦ balcony	varanda	♦ extra bed	cama suplementar
♦ blind	persiana	♦ pillow	almofada
♦ chair	cadeira	♦ pillowcase	fronha

Ask for information

- Could you recommend me a hotel?
- Where is...?
- Where is the ...hotel?
- Does the hotel have a private car park?
- Is it always open?
- Is there a taxi rank or a bus stop nearby?
- Is the railway station far from the hotel?

Pedir informações

- Pode recomendar-me um hotel?
- Onde fica...?
- Onde fica o hotel...?
- O hotel tem parque de estacionamento privativo?
- Está sempre aberto?
- Há alguma praça de táxis ou paragem de autocarro aqui perto?
- A estação de caminhos-de-ferro é longe do hotel?

Booking, reception

- I'm... . Have you got a booking made out in my name?
- I have made a reservation. / I have already booked.
- I sent you a fax last month.
- Here's the confirmation.
- I haven't booked.
- Have you got any vacant rooms?
- I'd like a twin bedroom with a bathroom for tonight.
- Have you only got single rooms / singles?
- In that case, I'd like two communicating singles.

Reserva, recepção

- Chamo-me... . Têm uma reserva em meu nome?
- Tenho uma reserva feita.
- Enviei-lhe um fax o mês passado.
- Aqui está a confirmação.
- Não fiz reserva.
- Têm quartos livres?
- Queria um quarto duplo com casa de banho para esta noite.
- Só têm quartos simples?
- Então quero dois quartos simples, com comunicação interior.

Types of accommodation Tipos de alojamento

twin room	quarto duplo
single room	quarto simples
double bedroom	quarto com cama de casal
extra bed	cama suplementar
room with a bathroom / shower	quarto com casa de banho / chuveiro (suite)

- How long are you staying? → Quanto tempo vai ficar?

- I intend staying → Pretendo ficar
  only one night /   só uma noite /
  some (a couple of) days /   alguns dias /
  at least a week.   pelo menos uma semana.

- What is the price → Qual é o preço
  per person /   por pessoa /
  per night /   por noite /
  per week /   por semana /
  for bed and breakfast /   por noite com pequeno-almoço /
  for bed without meals /   por noite sem refeições /
  with full board?   com pensão completa?

- It's too expensive. → É demasiado caro.

- Isn't there anything cheaper? → Não há nada mais barato?

- Does the price include... → O preço inclui
  breakfast /   o pequeno-almoço /
  full board /   pensão completa /
  the service /   o serviço /
  tax?   o imposto?

- Do you make any reductions for children? → Fazem descontos para as crianças?

- Does the baby pay? → O bebé paga?

- May I see your passport? → Posso ver o seu passaporte?

- Would you please complete this form? → Pode preencher esta ficha, por favor?

- Sign here. → Assine aqui.

- Could I see the room? → Posso ver o quarto?

- No, I don't like this one. → Não, não gosto deste.

- It's too → É muito
  cold /   frio /
  hot /   quente /
  dark /   escuro /
  small /   pequeno /
  noisy.   barulhento.

- Have you got anything → Têm alguma coisa
  better /   melhor /
  larger /   maior /
  cheaper /   mais barata /
  quieter /   mais tranquila /
  with a better view?   com melhor vista?

- I'd like a room
  facing the front / the back /
  with a view to the sea /
  with a view to the garden /
  with a view leading to the patio.

→ Queria um quarto
  na frente / nas traseiras /
  com vista para o mar /
  com vista para o jardim /
  com vista para o pátio.

- That's fine. I'll have this one.

→ Está bem. Fico com ele.

The luggage

As bagagens

- The suitcases are in the car.

→ As malas estão no carro.

- Is there a porter?

→ Têm paquete?

- The porter will take them in five minutes.

→ O empregado vai levá-las daqui a cinco minutos.

- What's the room number?

→ Qual é o número do quarto?

- On what floor is it?

→ Em que andar fica?

- Could you please give me the key to room number...?

→ Pode dar-me a chave do quarto número... por favor?

Services

Serviços

- I've forgotten to bring toilet soap and toothpaste.

→ Esqueci-me de trazer sabonete e pasta de dentes.

- Could you please supply us some?

→ Pode arranjar-mos, por favor?

- Have you got waking-up service?

→ Têm serviço de despertar?

- I'd like to be woken-up at... on the dot.

→ Desejo ser acordado às... em ponto.

- At what time are meals served?

→ A que horas são as refeições?

- Have you got room service? / Do you provide room service?

→ Têm serviço de quartos?

- Could you serve the meals in the room?

→ Pode servir as refeições no quarto?

- Could you bring two lunches?

→ Pode trazer dois almoços?

- Please call the chambermaid.

→ Por favor, chame a empregada de quarto.

- What's the hotel's telephone number?

→ Qual é o número de telefone do hotel?

Mentioning time p. 21 ▪ *The meals* p. 53

- Can I phone a foreign country directly from the room? / Can I call abroad directly from my room? → Posso telefonar para o estrangeiro directamente do quarto?

- I need to consult the city's telephone directory. → Preciso de consultar a lista telefónica da cidade.

- I'm expecting a few calls; I'm in the lobby. → Espero algumas chamadas telefónicas; estou no hall.

- Did anybody phone me? → Alguém telefonou para mim?

- Have you got writing paper / envelopes / stamps? → Tem papel de carta / envelopes / selos?

- Could you post this for me please? → Pode pôr-me isto no correio, por favor?

- Have you got laundry service? → Têm serviço de lavandaria?

- I'd like to send some clothing to the laundry / dry cleaner's. → Queria mandar lavar / limpar a seco e passar a ferro algumas peças de roupa.

- Does the hotel have a tennis court? → O hotel tem court de ténis?

- At what time is the tennis court free? → A que horas está o *court* livre?

- Do we have to book? → É preciso fazer reserva?

- I'd like to have a tennis match tomorrow morning. → Gostava de jogar uma partida amanhã de manhã.

- Does the hotel also have a swimming-pool? → O hotel também tem piscina?

In the room

No quarto

- Who is it? → Quem é?

- Just a moment. → Um momento.

- Come in! → Entre!

- Is there central heating / air conditioning / radio / television / private bathroom in the bedroom? → O quarto tem aquecimento / ar condicionado / rádio / televisão / casa de banho?

- Where is the socket for the shaving machine? → Onde está a tomada para a máquina de barbear?

- What voltage is used here? → Qual é a voltagem aqui?

The room p. 41 ▪ Mail, telephone and telecommunications p. 131

- Could you give me
  another blanket /
  another bolster /
  a pillow /
  a bath towel /
  toilet soap /
  ice cubes /
  a bedside lamp?

→ Pode dar-me
  mais um cobertor /
  mais um travesseiro /
  uma almofada /
  uma toalha de banho /
  um sabonete /
  cubos de gelo /
  um candeeiro?

The bathroom

- bath
- glass
- shower
- toilet
- toilet soap
- toilet-paper
- toothbrush
- toothpaste
- towel
- washbasin

A casa de banho

→ banheira
→ copo
→ duche
→ sanita
→ sabonete
→ papel higiénico
→ escova dos dentes
→ pasta dos dentes
→ toalha
→ lavatório

Damages and complaints

- The air conditioning /
  the blind /
  the central heating /
  the fan /
  the light /
  the radio /
  the socket /
  the switch /
  the tap /
  the telephone /
  the television set
  isn't working
- The washbasin is blocked / clogged.
- There isn't
  hot /
  cold /
  flowing water.
- The light bulb's blown.
- The window's warped.
- The door doesn't close.
- I've left the key in the room.
- I asked to be woken up at... .
- It wasn't done.

Avarias e reclamações

→ O ar condicionado /
  a persiana /
  o aquecimento /
  a ventoinha /
  a luz /
  o rádio /
  a tomada /
  o interruptor /
  a torneira /
  o telefone /
  a televisão /
  não funciona.
→ O lavatório está entupido.
→ Não há água
  quente /
  fria /
  corrente.
→ A lâmpada fundiu.
→ A janela está empenada.
→ A porta não fecha.
→ Deixei a chave no quarto.
→ Pedi que me acordassem às... .
→ Não o fizeram.

- We've got automatic wake-up by telephone. → Temos o despertar automático por telefone.

- It only needs to be programmed. → Basta programar.

- But it didn't work and I had asked to be woken up at the reception. → Mas não funcionou e tinha pedido na recepção que me acordassem.

- That's strange, everything's in the same computer and there aren't any complaints from any other client. → É estranho, tudo está no mesmo computador e não há queixas de nenhum outro cliente.

- Something happened to your telephone. Your room number is...? → Passou-se algo com o seu telefone. O seu quarto é o número...?

Payment

Pagamento

- Could you prepare my bill for tomorrow morning? → Pode preparar-me a conta para amanhã de manhã?

- I'm going to leave very early tomorrow. → Amanhã saio muito cedo.

- We're leaving around midday. → Partimos por volta do meio-dia.

- I'd like to pay the bill tonight. → Queria pagar a conta esta noite.

- I have to leave immediately. → Tenho de partir imediatamente.

- I'm in a very big hurry. → Tenho muita pressa.

- How can I pay? → Posso pagar como?

- Do you accept credit cards? → Aceitam cartões de crédito?

- Is everything included? → Está tudo incluído?

- You've made a mistake! → Enganou-se!

- I'll bring you the right bill in a minute. → Trago já a conta certa.

- Could you give me my passport / my identity card (ID) back? → Pode devolver-me o passaporte / o bilhete de identidade?

- Could you have my luggage brought down? → Pode mandar descer a nossa bagagem?

- Could you call us a taxi? → Pode chamar-nos um táxi?

- We've had a wonderful stay. → Tivemos uma óptima estadia.

- Hopefully we will return. → Esperamos voltar.

Ciphers and numbers p. 18 ▪ **Payment and ways of paying** p. 115

Campsite **Parque de campismo**

1 the camper o(a) campista	**5** the hammock a rede	**9** the sleeping bag o saco-cama
2 the caravan a caravana	**6** the tree a árvore	**10** the walking shoes os sapatos de marcha
3 the car o automóvel	**7** the tent a tenda	**11** the folding table a mesa
4 the bungalow o bangaló	**8** the calor gas cylinder / container o camping-gás	**12** the folding chair a cadeira

Lodging

vocabulary

◆ air-mattress	colchão de ar	◆ lantern	lanterna	
◆ awning	toldo	◆ penknife	canivete	
◆ compass	bússola	◆ rucksack	mochila	
◆ flask	cantil	◆ to go camping	acampar	
◆ guy line	cordas	◆ walk	passeio a pé	

expressions

Where is...?   ### Onde fica...?

- Is there any campsite nearby / near here? — Há algum parque de campismo aqui perto?

- Where can I find this city's campsite / the closest campsite from here? — Onde fica o parque de campismo desta cidade / mais perto daqui?

- How far is the nearest beach? — A que distância fica a praia?

- Can we walk there? — Podemos ir a pé?

- Is there any youth hostel near here? — Há alguma pousada de juventude aqui perto?

- Do you know anybody that could lodge us for one night? — Conhece alguém que nos possa albergar por uma noite?

- Where is the post office? — Onde fica a estação dos correios?

- I need to phone. — Preciso de telefonar.

- Can I phone with a phone-card / coins? — Pode-se telefonar com cartão / moedas?

Booking, reception and payment   ### Reserva, recepção e pagamento

- I've booked a site two months ago. — Reservei um lugar há dois meses.

- Please confirm it. — Confirme, por favor.

- May we pitch our tents here? — Podemos acampar aqui?

- No. Camping is forbidden here. — Não. É proibido acampar aqui.

- Where can we set up (pitch) our tent tonight? — Onde se poderá acampar por esta noite?

- May we
  camp on your ground /
  leave our caravan here /

→ Podemos
  acampar no seu terreno /
  deixar a nossa caravana aqui /

- Could you provide us with some water?

→ Pode-nos arranjar água?

- How much is it
  per day /
  per person /
  for a car /
  for a tent /
  for a caravan?

→ Qual é o preço
  por dia /
  por pessoa /
  por um carro /
  por uma tenda /
  por *roulotte*?

Facilities and services

Instalações e serviços

- Is there drinking water?

→ Tem água potável?

- Can we go shopping here in the park?

→ Pode-se fazer compras aqui no parque?

- Are there any
  baths /
  showers /
  WC's /
  cafés /
  restaurants?

→ Há
  banhos /
  chuveiros /
  sanitários /
  cafés /
  restaurantes?

- What type of sports can we practice here?

→ Que tipo de desporto podemos praticar aqui?

- Where can I hire a bicycle?

→ Onde posso alugar uma bicicleta?

- Where can I buy
  postcards /
  a map of the area?

→ Onde posso comprar
  postais /
  um mapa da região?

Damages and complaints

Avarias e reclamações

- There isn't any hot water in the showers.

→ Não há água quente nos chuveiros.

- We can't see anything; there isn't any lighting.

→ Não se vê nada; não há iluminação.

- It was very noisy last night!

→ Fizeram muito barulho esta noite!

- Water / mud has gone (penetrated) into my tent.

→ Entrou água / lama na minha tenda.

The meals p. 53

Eating and drinking

Restaurant **Restaurante**

Kinds of restaurants Tipos de restaurantes

◆ bar	bar	◆ restaurant with Brazilian / Chinese / Spanish / Greek / Indian / Italian / Mexican specialities	restaurante de especialidades brasileiras / chinesas / espanholas / gregas / indianas / italianas / mexicanas
◆ beerhouse	cervejaria		
◆ café	café		
◆ coffee-house	café-restaurante		
◆ grill-room	churrascaria	◆ self-service	self-service
◆ pizzeria	pizaria	◆ take-away	pronto-a-comer
◆ restaurant	restaurante		

Dining-room and dinner service Sala de jantar e serviço de mesa

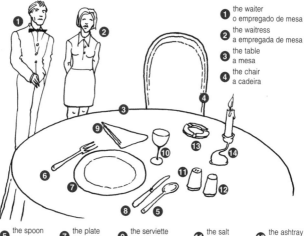

1 the waiter — o empregado de mesa
2 the waitress — a empregada de mesa
3 the table — a mesa
4 the chair — a cadeira

5 the spoon — a colher
6 the fork — o garfo
7 the plate — o prato
8 the knife — a faca
9 the serviette — o guardanapo
10 the glass — o copo
11 the salt — o sal
12 the pepper — a pimenta
13 the ashtray — o cinzeiro
14 the candle — a vela

Inviting someone p. 34 ▪ *Where is...?* p. 61

The meals As refeições

Cutlery Serviço de mesa

◆ butter knife / bread knife / cheese knife	faca de manteiga / de pão / de queijo	◆ meat knife / fish knife	faca de carne / de peixe
		◆ platter	travessa
◆ chalice	cálice		
		◆ soupspoon / coffeespoon dessertspoon teaspoon	colher de sopa / de café / de sobremesa / de chá
◆ champagne glass	taça de champanhe		
◆ cutlery	talher		
◆ meat fork / fish fork	garfo de carne / de peixe	◆ water / wine glass	copo de água / de vinho

Breakfast and tea-time Pequeno-almoço e lanche

◆ apple pie	tarte de maçã	◆ lemonade	limonada
◆ biscuits	bolachas	◆ marmalade	marmelada
◆ bread	pão	◆ orangeade	laranjada
◆ butter	manteiga	◆ pineapple / orange juice	sumo de ananás / de laranja
◆ cereal	cereais		
◆ cheese	queijo	◆ pudding	pudim
◆ chocolate	chocolate	◆ scones	scones
◆ cocoa milk	leite achocolatado	◆ slice of bread	fatia de pão
◆ coffee / white coffee	café / café com leite	◆ small cake	queque / bolo
◆ cornflakes	flocos de milho	◆ tea: lemon / camomile / mint / herb tea	chá: de limão / de camomila / de menta / de ervas
◆ croissant	croissant		
◆ hot chocolate	chocolate quente		
◆ jam	compota		
◆ jelly	geleia	◆ toast	torrada

Ordering / request, claims and payment p. 61

Lunch and dinner O almoço e o jantar

• aperitif / appetizer	aperitivo	• menu	ementa
• cheese	queijo	• salad	salada
• coffee	café	• soup	sopa
• dessert	sobremesa	• starter	entrada
• hors d'oeuvre	acepipe	• wine chart	carta dos vinhos
• main course / dish	prato principal		

Ordering Pedir

• bottle	garrafa	• to bring	trazer
• bread	pão	• toothpick	palito
• butter	manteiga	• water	água
• cap remover	tira-cápsulas	• water jug	jarro de água
• cork screw	saca-rolhas	• wine	vinho
• egg	ovo		

• ice cubes	cubos de gelo
• loaf of bread	cacete
• main course / dish	prato principal
• mayonnaise	maionese
• menu	lista
• mustard	mostarda
• oil	óleo
• olive oil	azeite
• olives	azeitonas
• pepper	pimenta
• request	pedido
• salt	sal
• sauce	molho
• straw	palhinha

bill	conta
chilli	picante
cold	frio(a)
cook	cozinheiro
cool	fresco(a)
diet	dieta
head waiter	chefe de mesa
hot	quente
raw	cru(a)
tender	tenro(a)
tip	gorjeta
to be hungry / thirsty	ter fome / sede
to drink	beber
to eat	comer
to pay	pagar

A ementa	**The menu**

Saladas

Salads

salada de alface / de tomate	lettuce / tomato salad
salada mista	mixed salad
salada russa	russian salad

Entradas

Starters

acepipes	hors d'œuvre
caracóis	snails
carnes frias	cold meat
fatias de melão com presunto	slices of honeydew melon with smoked ham
fiambre	ham
paté	paté
queijo	cheese
salpicão	smoked pork sausage
sopa de alho-porro / de camarão / de feijão / de legumes	leek / shrimp / kidney bean / vegetable soup

Peixes

Fish

atum	tuna / tunny
bacalhau	cod
carapau	horse-mackerel
cavala	mackerel
cherne	turbot
chicharro	large type of horse-mackerel
espadarte	swordfish
linguado	lemon sole
lula	squid
pargo	sea-bream
pescada	whiting

polvo	octopus
robalo	snook
sardinhas	sardines
truta	trout

cozido a vapor	steamed
cozinhado no forno	cooked in the oven
frito	fried
fumado	smoked
grelhado	grilled
salteado	dipped

Mariscos — Shellfish

amêijoa	cockle
camarão	shrimp
caranguejo	crab
lagosta	lobster
lagostim	crayfish
lavagante	kind of lobster
mexilhão	mussel
ostras	oysters
santola	spider-crab
sapateira	rock crab

Carnes — Meat

bife com batatas fritas	steak with french fries
carne:	meat:
de boi (vaca) /	beef /
de borrego /	lamb /
de cabrito /	kid /
de porco /	pork /
de vitela	veal
coelho	rabbit
costoletas	cutlets / chops
empadão de carne	large meat-pie
entrecosto	rib

espetada	roasting spit
fígado	liver
leitão	piglet
língua	tongue
lombo de boi (vaca)	sirloin
lombo de porco	loin of porc
lombo de vitela	loin of veal
perna de borrego / de cabrito / de carneiro	lamb's leg kid's leg mutton's leg
porco	pig
rim	kidney
salsicha	sausage
cozido	boiled
cozinhado	cooked
estufado(a) / guisado(a)	stewed
frito	fried
gratinado	melted
grelhado	grilled
recheado / com recheio	stuffed / with filling
mal passado(a)	rarely done
muito bem passado (a)	medium
no ponto	well-done

Aves	**Fowl**
faisão	pheasant
frango	chicken
galinha	hen
pato	duck
perdiz	partridge
peru	turkey

Guarnições	Garnishing
alcachofra	artichoke
alface	lettuce
alho	garlic
arroz	rice
batata	potato
batatas fritas	french fries
brócolos	broccoli
cebola	onion
cenoura	carrot
cogumelos	mushrooms
couve	
galega /	spring /
roxa	red
	cabbage
couve-de-bruxelas	brussels sprouts
couve-flor	cauliflower
ervilhas	peas
espargos	asparagus
esparguete	spaghetti
espinafre	spinach
feijão	
branco /	butter bean
verde	green bean
legumes	vegetables
massa	dough
nabo	turnip
ovo estrelado	fried egg
pepino	cucumber
pimento verde / vermelho	green / red pepper
puré	mashed potato
repolho	cabbage
salsa	parsley

Sobremesas	Dessert
arroz-doce	sweet rice
compota de maçã	apple jam
gelado	ice-cream
iogurte	yoghurt

leite-creme	custard
maçã assada	roasted apple
mousse de chocolate	chocolate mousse
pêra cozida em vinho tinto com acúcar e canela	cooked pears in red wine with sugar and cinnamon
pudim de caramelo	caramel pudding
salada de frutas	fruit salad
sorvete	sherbet

Fruta — Fruit

amora	blackberry
ananás	pineapple
banana	banana
cerejas	cherries
damasco	apricot
figo	fig
framboesa	raspberry
laranja	orange
maçã	apple
melancia	watermelon
melão	melon
morango	strawberry
pêra	pear
pêssego	peach
tâmara	date
uvas	grapes

Bolos e doces — Cakes and pies

bolo	
de coco /	coconut /
de laranja /	orange /
de nozes /	walnut /
de amêndoa /	almond /
de chocolate	chocolate cake

Dining-room and dinner service p. 52

tarte	
de frutos /	fruit /
de morango /	strawberry /
de maçã /	apple /
de amêndoa /	almond /
de limão /	lemon /
de laranja	orange
	tart / pie

Especiarias

Spices

canela	cinnamon
coentro	coriander
noz-moscada	nutmeg
pimenta	pepper
rosmaninho	rosemary
salsa	parsley
tomilho	thyme

As bebidas

Drinks

água mineral com gás	sparkling mineral water
água mineral sem gás	still mineral water
aperitivo	appetiser
carta de vinhos	whine charts
cerveja	
branca /	beer /
preta /	stout /
sem álcool	non-alcoholic beer
digestivo	digestive
licor	liqueur
vinho	
branco /	white /
tinto /	red /
rosé /	rosé /
seco	dry
	wine
vinho da região	wine of the region
o vinho de mesa	table wine
vinho de qualidade produzido em região demarcada (V.Q.P.R.D.)	quality wine produced in delimited region
vinho de região demarcada	wine of delimited region

Cafeteria drinks p. 64 ▪ *Alcoholic drinks* p. 64 ▪ *Indicating a place* p. 25

expressions

Where is...?

- Could you recommend me a restaurant?
- Where can we eat
  well /
  cheap?
- I'd like to wash my hands.
- Where's the
  ladies /
  men's bathroom?
- Go
  straight ahead /
  to the right /
  to the left.
- It's downstairs / right at the back (bottom).

Onde fica...?

- Pode indicar-me um restaurante?
- Onde se pode comer
  bem /
  barato?
- Quero lavar as mãos.
- Onde fica a casa de banho
  das senhoras /
  dos homens?
- Siga
  em frente /
  à direita /
  à esquerda.
- É lá em baixo / ao fundo.

Ordering / request, claims and payment

- Good-evening. I'd like a table for three people.
- I'd like a table
  near the window /
  in the esplanade /
  in the corner.
- Excuse me!
- Could you help me?
- Could you get me the menu, please?
- Have you got
  a fixed menu /
  the daily meal /
  meals for children /
  traditional meals?
- What's this?
- What do you recommend?
- What kind of shellfish have you got?
- I'd like an aperitif / appetiser.

Pedido, reclamações e pagamento

- Boa-noite. Queria uma mesa para três pessoas.
- Queria uma mesa
  perto da janela /
  na esplanada /
  no canto.
- Por favor! (para o empregado)
- Pode ajudar-me?
- Pode arranjar-me a ementa, por favor?
- Tem
  uma ementa fixa /
  o prato do dia /
  pratos para crianças /
  pratos típicos?
- O que é isto?
- O que me aconselha?
- Que tipos de marisco tem?
- Queria um aperitivo.

▪ I'd like
    a bottle of... /
    half a bottle of… .
	→ Queria
	    uma garrafa de... /
	    meia-garrafa de…

▪ I'd like a glass of... please.	→ Queria um copo de... por favor.
▪ I'd like another bottle please.	→ Queria outra garrafa, por favor.
▪ How would you like the meat?	→ Como prefere a carne?
▪ Well / rarely done.	→ Bem / mal passada.
▪ Would you like a little more of... ?	→ Deseja mais um pouco de...?
▪ That's all, thank-you.	→ Mais nada, obrigado(a).

▪ Could you bring us
    a plate /
    a spoon /
    a serviette /
    a glass /
    an ashtray, please?
	→ Pode trazer-nos
	    um prato /
	    uma colher /
	    um guardanapo /
	    um copo /
	    um cinzeiro, por favor?

▪ I'd like some dessert.	→ Queria uma sobremesa.
▪ What do you have for dessert?	→ O que tem de sobremesa?

▪ It's not what I've ordered.
  I asked for...
	→ Não é o que pedi.
	  Eu pedi...

▪ Could you change this?	→ Pode trocar isto?

▪ It's
    a little salty /
    bitter /
    too sweet.
	→ Está
	    um pouco salgado /
	    amargo /
	    muito doce.

▪ The food is cold.	→ A comida está fria.
▪ This isn't fresh.	→ Isto não é fresco.

▪ The meat's
    too well done / overdone
    rarely done /
    too raw /
    very tough.
	→ A carne está
	    passada demais / muito passada
	    mal passada /
	    muito crua /
	    dura.

▪ You've forgotten to bring us the drinks!	→ Esqueceu-se de nos trazer as bebidas!
▪ This isn't clean!	→ Isto não está limpo!
▪ Why is it taking so long?	→ Porque demora tanto?
▪ I'm in a hurry.	→ Tenho pressa.
▪ Could you call the managing waiter, please?	→ Pode chamar o chefe de mesa (gerente), por favor?
▪ The bill please.	→ A conta, por favor.
▪ I'd like to pay.	→ Queria pagar.

Expressing satisfaction / disapproval (to complain) p. 32

- We'd like to pay separately. → **Queríamos pagar separadamente.**
- You've made a mistake in the bill. → **Enganou-se na conta.**
- What does this amount correspond to? → **A que corresponde esta importância?**
- Is service included? → **O serviço está incluído?**
- Is everything included? → **Está tudo incluído?**
- I've got a credit card. → **Tenho um cartão de crédito.**
- Thanks, this is for you. → **Obrigado/a, isto é para si.**
- Keep the change. → **Guarde o troco.**
- The meal was fantastic. → **A refeição estava óptima!**
- It was a delicious dinner. → **Foi um jantar delicioso.**

Coffee bar **Café-bar**

❶	the cashier a caixa registadora	❹	beer glass / mug a caneca	❼	the table a mesa	❿	the cup a chávena
❷	the clerk / the bartender o empregado	❺	the stool o banco	❽	the glass o copo	⓫	the saucer o pires
❸	the counter o balcão	❻	the chair a cadeira	❾	the bottle a garrafa	⓬	the spoon a colher

Eating and drinking

• bowl	taça	• ice-cube	cubo de gelo
• chewing-gum	chiclete	• peanuts	amendoins
• chocolate bar	barra de chocolate	• sandwich	sanduíche
		• savouries	salgadinhos
• ice-cream	gelado	• toast	torrada

Cafeteria drinks Bebidas de cafetaria

• coffee white coffee coffee with cream	café com leite / com natas	• orangeade	laranjada
		• shake	batido
• decaffeinated coffee	descafeínado	• sparkling water / still mineral water	água mineral com gás / sem gás
• lemonade	limonada		
• orange / lemon / apple / pear / pineapple / peach / tomato / grape juice	sumo de laranja / de limão / de maçã / de pêra / de ananás / de pêssego / de tomate / de uva	• stout / non-alcoholic beer	cerveja preta / sem álcool
		• tea	chá

Alcoholic drinks Bebidas alcoólicas

• Aperitif	aperitivo	• Liqueur	licor
• Armagnac	aguardente de Armagnac	• Punch	ponche
• Brandy	aguardente	• Rum	rum
• Champagne	champanhe	• Sparkling wine	espumante
• Cocktail	cocktail	• Vermouth	vermute
• Cognac	conhaque	• Vodka	vodka
• Gin	gin	• Whisky with soda	uísque com soda

Transport

The motor car Automóvel

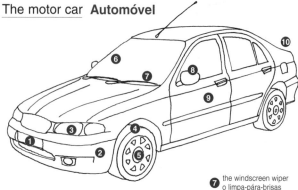

1 the number-plate
a matrícula

2 the bumper
o pára-choques

3 the headlight
o farol

4 the tyre
o pneu

5 the hubcap / the wheel rim
o tampão da jante

6 the windscreen
o pára-brisas

7 the windscreen wiper
o limpa-pára-brisas

8 the left-hand wing mirror
o retrovisor esquerdo

9 the door
a porta

10 the boot
o porta-bagagens / a mala

---

vocabulary

The exterior O exterior

- bonnet — capô
- brake light — luz de travagem / luz de "stop"
- central locking system with remote control — fecho centralizado com comando à distância
- dipped headlights — faróis médios
- exhaust-pipe — tubo de escape
- fog lights — faróis de nevoeiro
- front / rear bumper — pára-choques dianteiro / traseiro
- hazard flashing lights — piscas intermitentes / quatro piscas
- high headlights — faróis máximos
- indicator light — pisca
- parking lights — luzes dos mínimos
- rear light — luz traseira
- reversing light(s) — luz(es) de marcha-atrás
- spare wheel — pneu suplente / de reserva
- warning triangle — triângulo
- wheel — roda / jante
- windscreen wipers — escovas de limpa-pára-brisas

The service (petrol) station p. 76 ▪ Garage p. 78 ▪ Some American terms p. 79

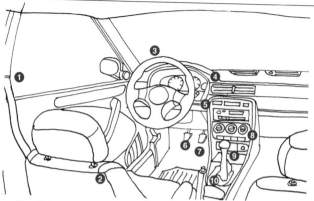

1 the seat-belt
o cinto de segurança

2 the seat
o assento

3 the steering-wheel
o volante

4 the dashboard /
the fascia panel
o painel de instrumentos /
o tablier

5 the headlight switch
o interruptor dos faróis

6 the clutch pedal
o pedal da embraiagem

7 the brake pedal
o pedal do travão

8 the air-conditioning
o ar condicionado

9 the gear-lever
a alavanca das velocidades

10 the handbrake
o travão de mão

The interior O interior

♦ accelerator pedal	acelerador
♦ airbag	airbag
♦ alarm	alarme
♦ brake	travão
♦ child restraint seat	cadeira para crianças
♦ clutch	embraiagem
♦ disengaged gear	ponto morto
♦ first-aid box	caixa de primeiros socorros
♦ fuel gauge	indicador de nível (de combustível)

♦ gears: the first / the second / the third...	mudanças: a primeira / a segunda/ a terceira...
♦ heater	aquecimento
♦ horn	buzina
♦ ignition	ignição
♦ key	chave
♦ lever	alavanca
♦ odometer	conta-quilómetros
♦ pedal	pedal
♦ reverse gear	marcha-atrás
♦ speedometer	velocímetro

Mechanics Mecânica

air / oil filter	filtro de ar / de óleo
air chamber flap valve	válvula (da câmara de ar)
anti-freeze	anticongelante
axle	eixo
battery	bateria
cable	cabo
carburettor	carburador
catalyser	catalisador
chassis	chassis
clutch disk	disco da embraiagem
coachwork	carroçaria
cooling system	sistema de refrigeração
cylinder	cilindro
direct injection	injecção directa
distilled water	água destilada
distributor	distribuidor
electric system	sistema eléctrico
electric wire	fio eléctrico
engine	motor
engine-head gasket	junta da cabeça do motor
fan	ventoinha
fan belt	correia (da ventoinha)
float	bóia
fuel / oil tank	reservatório do combustível / do óleo
gear	engrenagem / mudança
gearbox	caixa de velocidades
lubricant	lubrificante
motor valve	válvula (do motor)
oil	óleo
oil change	mudança de óleo
oil gauge	indicador de nível de óleo
petrol	gasolina
petrol tank	depósito de gasolina
pressure	pressão
pump	bomba
radiator	radiador
shock absorber	amortecedor
sparking-plug	vela de ignição
starter motor	motor de arranque
steering	direcção
suspension	suspensão
suspension spring	mola de suspensão
thermostat	termóstato
transmisson shaft	veio de transmissão
water	água

The motorcycle Moto

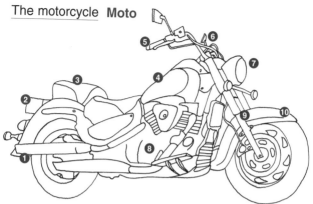

1 the upswept exhaust
o tubo de escape

2 the number plate
a matrícula

3 the seat
o assento

4 the fuel tank
o depósito de gasolina

5 the twist grip throttle control
o punho acelerador

6 the handlebars
o guiador

7 the headlight
o farol

8 the motor / engine
o motor

9 the fork
o garfo

10 the mudguard
o guarda-lamas

vocabulary

• bracket passenger handlebar	apoio de mão do passageiro	• gearbox	caixa de velocidades
• carburettor	carburador	• gear-change lever	alavanca das mudanças
• centre console	painel de instrumentos	• hazard flashing lights	piscas intermitentes
• distributor belt	correia de distribuição	• headlight / stop and rear light	farol dianteiro/ de "stop" e traseiro
• front / rear mudguard	guarda-lamas dianteiro / traseiro	• headlight switch	interruptor dos faróis
• footrest	apoio do pé	• hidraulic shock--absorber	amortecedor hidráulico
• fuel gauge	indicador do nível de gasolina	• ignition switch	interruptor de ignição

◆ indicator	pisca	◆ rear / front drum brake	travão de tambor traseiro / dianteiro
◆ kickstarter	kick		
◆ motorcycle carrier	mala	◆ rear view mirror	retrovisor
◆ motorcycle stand	descanso	◆ shock absorber	amortecedor
◆ pacer	mostrador	◆ suspension spring	mola de suspensão
◆ radiator	radiador	◆ wheel	roda
◆ rear / front disk brake	travão de disco traseiro / dianteiro	◆ wheel rim	jante

The lorry / truck Camião

vocabulary

◆ accelerator	acelerador	◆ mortise of the hook	encaixe do gancho
◆ brake	travão	◆ net weight	peso líquido
◆ bunk	beliche	◆ semi-trailer	semi-reboque
◆ cargo container	contentor	◆ tachograph	tacógrafo
◆ clutch	embraiagem	◆ tachometer	tacómetro
◆ delivery (of merchandise)	entrega (de mercadorias)	◆ tanker	camião-cisterna
◆ delivery note	guia de entrega	◆ tare	tara
◆ gross weight	peso bruto	◆ to load	carregar
◆ hook	gancho	◆ to unload	descarregar
◆ horn	buzina	◆ tow truck / lorry	reboque
◆ load	carga	◆ tractor	tractor
◆ lorry's / truck cabin	cabina	◆ travelling permit	guia de transporte
◆ lorry- / truck-driver	camionista	◆ warehouse	armazém / entreposto

Car rental **Aluguer automóvel**

expressions

• Could you please tell me where I could find a Car Rental Agency?	→ **Pode indicar-me uma agência de aluguer de automóveis?**

• I'd like to rent
    a car /
    a caravan /
    a jeep /
    a motorbike.
	→ **Queria alugar
	    um carro /
	    uma caravana /
	    um jipe /
	    uma mota.**

• For how long?	→ **Por quanto tempo?**

• For one (...) day(s) /
    one (...) week(s).
	→ **Por um (...) dia(s) /
	    uma (...) semana(s).**

• What's the
    daily / weekly rate?
	→ **Qual a tarifa
	    por dia / por semana?**

• How much is the deposit?	→ **De quanto é o depósito (caução)?**
• Is the distance in kilometres (Km) included?	→ **A quilometragem está incluída?**
• How much is it per kilometre?	→ **Qual é a tarifa por quilómetro?**
• Is the price of the petrol included?	→ **O preço da gasolina está incluído?**
• What type of petrol do I have to fill it up with?	→ **Que tipo de gasolina tenho de meter?**

• Have you got an
    all risks /
    third-party insurance?
	→ **Tem seguro
	    contra todos os riscos /
	    contra terceiros?**

• I'd like an insurance against all risks.	→ **Quero seguro contra todos os riscos.**
• Here are my documents.	→ **Aqui estão os meus documentos.**
• Here's my driver's licence.	→ **Aqui está a minha carta de condução.**
• I've got a credit card.	→ **Tenho um cartão de crédito.**

Payment and ways of paying p. 115

Driving **Condução**

vocabulary

Roads Estradas

• bridge	ponte	• right of way road	estrada prioritá-ria
• bypass	estrada local		
• highway	auto-estrada	• tollable section	troço sujeito a portagem
• lane	via estreita	• tollgate	portagem
• main road	estrada nacional	• tunnel	túnel
• pedestrian zone	via pedestre		

Road-signs Sinalização rodoviária

• approaching a yeld road	aproximação de estrada sem prioridade	• halt	alto
		• highway	auto-estrada
• bus stop	paragem de autocarro	• keep to the right / left	seguir pela direita / pela esquerda
• bypass	desvio		
• bypass for heavy vehicles	desvio para veículos pesados	• level crossing	passagem de nível
• crossroads	cruzamento	• maximum speed	velocidade máxima
• danger	perigo	• no entry	proibida a entrada
• dangerous curve	curva perigosa	• no entry	sentido proibido
• first-aid station	posto de primeiros socorros	• no overtaking	proibido ultrapassar
• give way	prioridade	• no through road	sem saída

◆ one-way street	sentido único		◆ to drive carefully	guiar com cuidado
◆ pedestrians	peões		◆ toll gate	portagem
◆ prohibitted crossing	passagem proibida		◆ traffic jam	engarrafamento
◆ road-blocked / not open to traffic	trânsito proibido / fechado ao trânsito		◆ traffic lights	semáforo

Documents Documentos

driver's licence	carta de condução
green card	carta verde
identity card	bilhete de identidade
insurance policy	apólice do seguro
passport	passaporte
registration booklet	livrete do carro
visa	visto

◆ road-works — obras na estrada

◆ roundabout — rotunda

◆ slip road for lorries (trucks) — saída de camiões

◆ sonorous hard shoulder — banda sonora

◆ steep/ dangerous descent — descida íngreme / perigosa

◆ stop sign — stop

---

expressions

To ask for directions

Pedir indicações

■ Excuse me, do you speak Portuguese? → Desculpe, fala português?

■ Could you show me the way to... / Could you tell me where... is? → Pode indicar-me o caminho para... / dizer-me onde fica...?

■ Is this the road to...? → Esta é a estrada para...?

■ How far is the nearest neighbourhood? → A que distância fica a localidade mais próxima?

■ How far am I from...? → A que distância estou de...?

Indicating a place p. 25

- Where's this address? → **Onde fica esta morada?**

- Have you got a road map of this region? → **Tem um mapa de estradas desta região?**

- Could you show me where I am on the map? / Could you show me where... is on the map? → **Pode mostrar-me no mapa onde estou / onde fica...?**

- How far is the petrol station? → **A quantos quilómetros fica a estação de serviço?**

- Where's the nearest petrol station? → **Onde fica o posto de gasolina mais próximo?**

- Where's the nearest garage? → **Onde fica a garagem mais próxima?**

- Where's the nearest garage? → **Onde é a oficina mais próxima?**

- I'm looking for a garage. → **Procuro uma oficina.**

- Could you send me a tow truck → **Pode mandar-me um pronto-socorro / reboque?**

- I've run out of petrol. Could you help me? → **Acabou a gasolina. Pode ajudar-me?**

Indicating the way

Indicar o caminho

- You've made a mistake in the road. → **Enganou-se na estrada.**

- Go
  straight ahead /
  right /
  left. → **Siga
  em frente /
  à direita /
  à esquerda.**

- It's down there / at the bottom. → **É lá em baixo / ao fundo.**

- Turn
  right /
  left /
  after the traffic lights /
  at the corner. → **Vire
  à direita /
  à esquerda /
  depois dos semáforos /
  na esquina.**

- Go until the first / second crossroads (intersection). → **Vá até ao primeiro / segundo cruzamento.**

- It's too far to walk. → **É muito longe para ir a pé.**

Parking

- To park
- Where can I park the car?
- Can I park here?
- Is the car park free / paid?
- To leave a parking area / space.
- Parking is forbidden.
- The parking-meter.

Estacionamento

→ Estacionar.
→ Onde posso estacionar o automóvel?
→ Posso estacionar aqui?
→ O parque de estacionamento é gratuito / pago?
→ Sair de um estacionamento.
→ Estacionamento proibido.
→ O parcómetro.

Infractions / Offences

- You haven't got your seat-belt fastened.
- You didn't respect the speed-limit.
- You passed the red traffic light.
- But... the traffic light was green!
- I didn't see the traffic-light.
- You trod on the white line.
- You overtook on the right.
- You didn't respect the give-way / stop sign.
- I'm sorry, I didn't see the sign.
- You're not well parked.
- You are stopped in a forbidden parking space.
- You are driving (blind drunk) in a drunken state.
- How much is the fine?
- I don't understand.
- I'm sorry, I don't speak Portuguese well.
- You're going to have a fine of....

Infracções

→ Não tem o cinto apertado.
→ Não respeitou o limite de velocidade.
→ Passou no vermelho.
→ Mas... a luz estava verde!
→ Não vi o semáforo.
→ Pisou a linha contínua.
→ Ultrapassou pela direita.
→ Não respeitou a prioridade / o "stop".
→ Desculpe, não vi o sinal.
→ Está mal estacionado.
→ Está parado num estacionamento proibido.
→ Está a conduzir em estado de embriaguez.
→ Quanto é a multa?
→ Não compreendo.
→ Desculpe, não falo bem português.
→ Vai ter uma multa de....

The service (petrol) station **Estação de serviço**

1 the garage
a oficina

2 the cashier
a caixa

3 the petrol pump clerk
o empregado da bomba

4 the petrol pump
a bomba

5 the hose
a mangueira

vocabulary

◆ automatic car wash	lavagem automática	◆ price	preço
◆ battery	bateria	◆	gasolina
◆ cooling fluid / coolant	líquido de refrigeração	regular / premium grade / unleaded petrol	normal / super / sem chumbo
◆ diesel	gasóleo		
◆ distilled water	água destilada	◆ reservoir	bidão de reserva
◆ fire extinguisher	extintor	◆ resting area	área de descanso
◆ invoice	factura		
◆ lamp	lâmpada	◆ service area	área de serviço
◆ LPG	GPL (Gás de Petróleo Liquefeito)	◆ sparking-plugs	velas
◆ maintenance	manutenção	◆ to pay	pagar
◆ oil	óleo	◆ tyre	pneu
◆ prepayment	pré-pagamento	◆ vacuum cleaner	aspirador
◆ prepayment cashier	caixa de pré-pagamento	◆ water	água

expressions

- Where is the closest service station? → Onde fica a estação de serviço mais próxima?

- I'd like... litres of petrol, please. → Quero... litros de gasolina, por favor.

- Fill in... pounds
  of premium grade /
  unleaded petrol /
  diesel.
  → Ponha... euros
  de super /
  sem chumbo /
  gasóleo.

- Please, fill it up. → Ateste, por favor.

- Could you check
  the tyre pressure /
  the spare wheel /
  the oil level /
  the water level?
  → Pode verificar
  a pressão dos pneus /
  a roda sobresselente /
  o nível do óleo /
  o nível da água?

- Could you
  mend this puncture /
  change the tyre /
  clean the windscreen?
  → Pode
  reparar este pneu furado /
  mudar o pneu /
  limpar o pára-brisas?

- I'd like a bottle of
  distilled water /
  oil.
  → Quero uma garrafa de
  água destilada /
  óleo.

- Fill-up the radiator, please. → Encha o radiador, por favor.

- The car doesn't start. → O carro não arranca.

- Can I call a tow truck / lorry? → Posso chamar um reboque?

- Is there a garage nearby or in the outskirts (surroundings)? → Há uma oficina de reparações aqui ou nos arredores?

- Could you ask for this car to be towed to the garage? → Pode mandar rebocar este carro para uma garagem?

- My car needs to be washed. → O meu carro precisa de ser lavado.

Garage **Oficina**

vocabulary

◆ battery	bateria	◆	filtro de
		oil filter	óleo /
◆ breakdown	avaria	air filter	ar /
		fuel filter	combustível
◆ broken-down	avariado		
		◆ repair costs /	custo de
◆ clutch	embraiagem	towage fees	desempanagem /
			de reboque
◆	peça		
defaulted /	defeituosa /	◆ silencer	silenciador
replacement	de substituição		
part		◆ spare tyre /	pneu suplente
		wheel	
◆ exhaust pipe	tubo de escape		
		◆ sparking-plug	vela
◆ fan belt	correia do		
	ventilador	◆ to change the	mudar a bateria
		battery	
◆ fuse	fusível	◆ to change the oil	mudar o óleo
◆ light	lâmpada	◆ to start	arrancar
		◆ to tow	rebocar

expressions

▪ Where's the closest garage?	→	**Onde fica a oficina mais próxima?**
▪ My car has broken-down on the road....	→	**O meu carro está avariado na estrada....**
▪ The engine is shaking / doesn't start / heats up too much.	→	**O motor está a bater / não arranca / aquece demasiado.**
▪ The gears are functioning badly.	→	**As mudanças funcionam mal.**
▪ The radiator heats up / has a leak.	→	**O radiador aquece / tem uma fuga.**

▪ Could you send me a tow truck / lorry?	→ Podem enviar-me um pronto-socorro?
▪ Please, check the oil and the water / the brake fluid.	→ Verifique o óleo e a água / o líquido dos travões, por favor.
▪ Please, give me half a litre of oil.	→ Dê-me meio litro de óleo, p.f.
▪ Could you put distilled water in the battery?	→ Pode pôr água destilada na bateria?
▪ My battery is discharged. Could you recharge it?	→ A minha bateria está descarregada. Pode recarregá-la?
▪ The brakes need to be adjusted.	→ É necessário afinar os travões.
▪ Adjust the carburettor.	→ Ajuste o carburador.
▪ Could you check the engine?	→ Pode verificar o motor?
▪ Fill up the radiator.	→ Encha o radiador.
▪ I'd like to have the oil changed.	→ Queria fazer a mudança de óleo.
▪ Is the breakdown serious?	→ A avaria é grave?
▪ Have you got spare parts?	→ Tem peças sobresselentes?
▪ Can you replace this... / that... ?	→ Pode substituir este... / esta...?
▪ When will it be ready?	→ Quando estará pronto?
▪ How long will the repairing take?	→ Quanto tempo leva a reparação?
▪ I need the car for tomorrow.	→ Preciso do carro amanhã.

Some American terms Alguns termos americanos

carburetor	carburador	license plate	matrícula
drive shaft	veio de transmissão	muffler	silenciador / panela de escape
gasoline (gas)	gasolina	side mirror	retrovisor
gas pedal	pedal acelerador	spark plug	vela de ignição
gas tank	depósito de gasolina	tailight	luz traseira
gearshift	alavanca das mudanças	tyre	pneu
		trunk	mala
		turn signal	pisca
hood	capô	windshield	pára-brisas

Accidents Acidentes

vocabulary

• 911 (emergency)	112 (emergências)	• green card	carta verde
• ambulance	ambulância	• insurance	seguro
• crash	embate / acidente	• S.O.S. telephone	telefone SOS
• first-aid box	caixa de primeiros-socorros	• warning triangle	triângulo de pré-sinalização
• friendly statement	declaração amigável	• witness(es)	testemunha(s)
		• wounded / hurt	ferido(s)

expressions

- May I telephone? — Posso telefonar?

- Call a doctor quickly! / an ambulance! / the Fire Brigade! / the Police! — Chame um médico depressa! / uma ambulância! / os bombeiros! / a polícia!

- There are wounded! — Há feridos!

- It isn't serious. — Não é grave.

- The car's got an insurance against all risks / third party. — O carro tem seguro contra todos os riscos / terceiros.

- Where are your documents? — Os seus documentos?

- Here are my documents. — Aqui estão os meus documentos.

- Will you accept being my witness? — Aceita ser minha testemunha?

- What's your address / telephone number? — Qual é o seu endereço / n.° de telefone?

The friendly statement	A declaração amigável
address	morada
date	data
driver	condutor
driver's licence	carta de condução
hour	hora
inquest in operation / progress	averiguação em curso
insurance policy	apólice do seguro
insured	segurado
make	marca
material / visible damages	danos materiais / visíveis
model of the car	tipo de carro
name	nome
place	local
police report	relatório policial
police report / statement	auto
policy number	número da apólice
registration number	número de matrícula
sketch of the accident	esboço do acidente
surname	apelido
valid from... to...	válida de... a...
vehicle	veículo
witnesses	testemunhas

The railway station **Estação ferroviária**

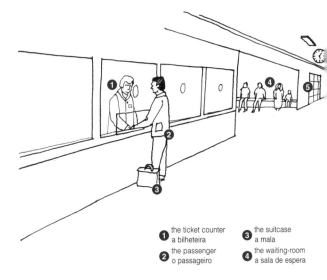

❶ the ticket counter
a bilheteira

❷ the passenger
o passageiro

❸ the suitcase
a mala

❹ the waiting-room
a sala de espera

vocabulary

◆ additional (train)	suplemento	◆ departures and arrivals notice board	quadro de partidas e chegadas
◆ arrival	chegada	◆ entrance	entrada
◆ arrival and dispatching of goods and luggage	chegada e expedição de volumes e bagagens	◆ entry of packages / parcels and luggage	entrada de volumes e bagagens
◆ buffet	bufete	◆ exit	saída
◆ connection	ligação	◆ expired	caducado
◆ delay	atraso	◆ information	informações
◆ departure	partida	◆ information desk	posto de informações

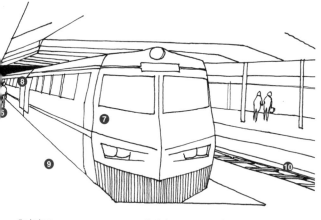

5 the lockers
os cacifos

6 the porter
o bagageiro

7 the train
o comboio

8 the carriage
a carruagem

9 the railway platform
o cais / a plataforma

10 the railway track
a via (-férrea) / a linha

• loading of luggage	depósito da bagagem	• subway	passagem subterrânea
• luggage	bagagem	• telephone	telefone
• obliteration of tickets	obliteração dos bilhetes	• ticket office	bilheteira
• railway	linha	• tickets	bilhetes
• reservation	reserva	• timetable	horários
• route	percurso	• to travel	viajar
• security	segurança	• to validate	validar
• station	estação	• tunnel	túnel
• station-master	chefe de estação	• waiting-room	sala de espera

expressions

Information	Informações
• Where is it?	→ Onde fica?
• Where is the railway station?	→ Onde fica a estação de caminhos--de-ferro?
• Taxi! Please take me to the railway station.	→ Táxi! Siga para a estação de caminhos-de-ferro, por favor.
• I am looking for the ticket office.	→ Procuro a bilheteira.
• Where is the lost and found office?	→ Onde é a secção de perdidos e achados?
• Where is the railway station police desk, please?	→ O posto de polícia ferroviária, por favor?
• Is there a tourist information desk in the station?	→ Há algum posto de informações turísticas na estação?
• Where is the booking (reservation) office / forwarding luggage office / ticket counter / platform five / waiting-room / newspaper stand (kiosk) / lost property office?	→ Onde fica a secção de reservas / o depósito da bagagem / a bilheteira / o cais 5 / a sala de espera / o quiosque (de jornais) / o depósito dos objectos perdidos?
• I'd like a timetable.	→ Queria um horário.
• Where can I get a traintime schedule?	→ Onde posso arranjar um horário dos comboios?
• At the station.	→ Na estação.
• I'd like to consult the train's timetable.	→ Desejo consultar o horário dos comboios.
• Is it a through train?	→ É um comboio directo?
• No, you have got to change at... .	→ Não, tem de mudar em... .
• Change at... and catch the train to... .	→ Mude em... e apanhe o comboio para... .
• Where do I have to change?	→ Onde tenho de mudar?
• What time is there a connection to...?	→ A que horas há ligação para...?
• Does the train also stop at ...station?	→ O comboio pára também na estação de...?
• Do I need to book / reserve?	→ É preciso fazer reserva?
• What time does the train to... leave?	→ A que horas parte o comboio para...?
• From which railway / platform?	→ De que linha?
• What time do we arrive at...?	→ A que horas chegamos a...?
• What time does the next train leave?	→ A que horas parte o próximo comboio?
• There's a train at... .	→ Há um comboio às... .
• The next train leaves at... .	→ O próximo comboio parte às... .

- Does the train
  leave on time?
  have a dining car?
  have a sleeping car?
  stop at...?
→ O comboio
  parte a horas? /
  tem vagão-restaurante? /
  tem carruagem-cama? /
  pára em...?
- Is this the train to...? → É este o comboio para...?
- Is this the platform for the train to...? → É este o cais do comboio para...?
- Which platform does the train to... leave from? → De que cais parte o comboio para...?
- Your train leaves from platform.... → O seu comboio parte do cais... .
- The train is delayed for... minutes. → O comboio tem um atraso de... minutos.
- At what time does the train from... arrive? → A que horas chega o comboio de...?
- On which platform does the train from... arrive? → A que cais chega o comboio de...?

Buying the tickets

Compra de bilhetes

- How much is a ticket to...? → Quanto custa um bilhete para...?
- Two first-class / second-class tickets to.... → Dois bilhetes de primeira / segunda classe para... .
- I want half a ticket to.... → Quero meio bilhete para... .
- Is there any special price for the old aged? → Tem preço especial para a terceira idade?
- One way ticket / Single ticket. → Bilhete só de ida.
- Return ticket (RU) / Round-trip ticket (EUA). → Bilhete de ida e volta.
- (Non-) smoking area / compartment. → Compartimento para (não) fumadores.

Luggage

Bagagens

- I'm waiting for the porter. → Estou à espera do bagageiro.
- Porter! → Bagageiro!
- Could you help me? → Pode ajudar-me?
- Porter, could you take my luggage to the train? → Bagageiro, pode levar-me a bagagem para o comboio?
- Leave it here, please. → Deixe-as aqui, por favor.
- May I forward these suitcases? → Posso despachar estas malas?
- How much do I owe you? → Quanto lhe devo?
- I can't find my luggage. → Não encontro a minha bagagem.
- I've forgotten my suitcase in the train. → Esqueci-me da mala no comboio.
- These aren't my suitcases. → Estas não são as minhas malas.

The train Comboio

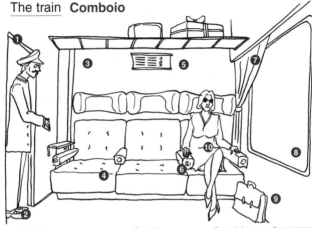

1 the door
a porta

2 the inspector / ticket collector
o revisor

3 the compartment
o compartimento

4 the seat
o lugar

5 the air-conditioning
o ar condicionado

6 the ashtray
o cinzeiro

7 the curtain
a cortina

8 the window
a janela

9 the suitcase
a mala

10 the passenger
a passageira

vocabulary

♦ barrow	carro de bagagem	♦ gangway	corredor
♦ bed	cama	♦ local train	tranvia
♦ car carrier	carruagem porta-automóveis	♦ locomotive	locomotiva
♦ carriage	carruagem	♦ luggage	bagagem
♦ class	classe	♦ luggage-rack	rede de bagagem
first class / second class	primeira classe / segunda classe	♦ rail	carril
♦ dining-car	carruagem-restaurante	♦ railway / railroad	caminho-de-ferro
		♦ reserved seat / standing	lugar reservado / em pé
♦ fast / through / regional / goods / express train	comboio rápido / directo / local / de mercadorias / expresso	♦ sleeping car	carruagem-cama
		♦ traveling bag	saco de viagem

Signs Sinalização

information desk
posto de informações

ticket office
bilheteira

seat-booking / reservations
reservas

train with sleeping car and car carrier
comboio com carruagem-
-cama e carruagem para transporte de automóveis

car rental without a driver at the station
aluguer de automóveis sem motorista na estação

waiting-room
sala de espera

restaurant
restaurante

forwarding luggage office
depósito das bagagens

loading foreman / porter
carregador / bagageiro

lockers
cacifos

luggage counter
registo das bagagens

luggage receipt
entrega das bagagens registadas

smokers
fumadores

non-smokers
não fumadores

Indicating a place p. 25

entrance
entrada

exit
saída

drinking water
água potável

non-drinking water
água não potável

women's toilets / ladies
sanitários para senhoras

men's toilets / gents
sanitários para homens

telephone
telefone

expressions

On the train	No comboio
▪ Compartments 1 and 2, please?	Os compartimentos 1 e 2, por favor?
▪ The tickets, please!	Os bilhetes / as passagens, por favor!
▪ Your ticket(s), please.	O(s) seu(s) bilhete(s), p.f.
▪ Here's my ticket.	Aqui está o meu bilhete.
▪ This ticket isn't valid.	Este bilhete não é válido.
▪ Doesn't the child pay half a ticket?	A criança não paga meio bilhete?
▪ How old is he / she?	Quantos anos tem ele / ela?
▪ We've booked... seats.	Reservámos... lugares.
▪ I believe this seat is mine.	Creio que este é o meu lugar.

Is this seat free?	→	**Este lugar está livre?**
My seat has already been taken.	→	**O meu lugar já está ocupado.**
I've got number... .	→	**Tenho o número....**
Excuse me, may I go through?	→	**Com licença, posso passar?**
May I open the window?	→	**Posso abrir a janela?**
The central heating is out of order.	→	**O aquecimento avariou-se.**
The air conditioning doesn't work.	→	**O ar condicionado não funciona.**
Don't you mind closing the window, please?	→	**Não se importa de fechar a janela, por favor?**
Are sandwiches and drinks sold in this carriage?	→	**Vendem sanduíches e bebidas nesta carruagem?**
Is there a dining-car?	→	**Há carruagem-restaurante?**
What time can we eat?	→	**A que horas se pode comer?**
Where's the dining-car?	→	**Onde fica o vagão-restaurante?**
Could you let me know when we get to...?	→	**Pode avisar-me quando chegarmos a...?**
What station is this? / Where are we?	→	**Que estação é esta? / Onde estamos?**
For how long does the train stop here?	→	**Quanto tempo pára aqui o comboio?**
Are there any empty compartments in the sleeping-car?	→	**Há compartimentos vazios no vagão-cama?**
Where's the sleeping-car?	→	**Onde está o vagão-cama?**
Which is my bed?	→	**Qual é a minha cama?**
Could you prepare our beds?	→	**Pode preparar as nossas camas?**
Would you wake me up at 7 o'clock?	→	**Pode acordar-me às 7 horas?**

Airport **Aeroporto**

① the air terminal
o terminal aéreo

② the plane
o avião

③ the airline company
a companhia aérea

④ the control tower
a torre de controlo

⑤ the luggage
a bagagem

⑥ the barrow (luggage trolley)
o carrinho das bagagens

⑦ the check-in
o check-in

⑧ the departures and arrivals board
o quadro de partidas e chegadas

vocabulary

◆ airline company	linha aérea	◆ dispatch / send / pick up the luggage	despachar / enviar / levantar a bagagem
◆ arrival	chegada	◆ documents	documentos
◆ aviation company	companhia de aviação	◆ excess of luggage / weight	excesso de bagagem / peso
◆ boarding	escala	◆ executive / business / economy class	classe executiva / turística
◆ control tower	torre de controlo		
◆ customs	alfândega		
◆ customs officer	alfandegário		
◆ delay	atraso	◆ exit	saída
◆ departure	partida	◆ handbag	mala de mão

Customs p. 36

Transport

• identity card	bilhete de identidade	• passport	passaporte
• luggage dispatch	despacho de bagagens	• porter	bagageiro
• metal detector	detector de metais	• smokers	fumadores
• non-smokers	não fumadores	• suitcases	malas

expressions

▪ Is there any bus to the airport?	←	**Há algum autocarro para o aeroporto?**
▪ I have to go to the airport.	←	**Tenho de ir para o aeroporto.**
▪ Where's the terminal?	←	**Onde fica o terminal?**
▪ Why is the airport closed?	←	**Por que motivo está encerrado o aeroporto?**
▪ Where are the international departures?	←	**Onde são as partidas internacionais?**
▪ Which is the boarding gate for the ...flight?	←	**Qual é o *check-in* para o voo...?**
▪ I'd like to book (reserve) a seat for tomorrow's flight to... .	←	**Quero reservar um lugar no avião de amanhã para... .**
▪ How much is a return ticket (RU) / round-trip ticket (EUA) to...?	←	**Quanto custa o bilhete de ida e volta para...?**
▪ I'd like a one-way ticket.	←	**Quero um bilhete de ida.**
▪ I'd like a return ticket (RU) / round-trip ticket (EUA) with an unfixed return date.	←	**Quero um bilhete de ida e volta com data de volta em aberto.**
▪ How many kilos (of luggage) am I entitled to?	←	**A quantos quilos de bagagem tenho direito?**
▪ Where is the luggage retrieval?	←	**Onde é o depósito de bagagens?**
▪ At what time does the plane (aeroplane) depart (leave) / arrive?	←	**A que horas parte / chega o avião?**
▪ How delayed is the departure?	←	**Qual é o atraso da partida?**

The aeroplane Avião

1 the aisle
a coxia / o corredor

2 the air hostess
a hospedeira de bordo

3 the toilet
a casa de banho

4 the passenger
o passageiro

5 the window
a janela

6 the seat
o assento

vocabulary

• aileron	aileron	• flight	voo
• airsickness	enjoo	• flight attendant	assistente de bordo / hospedeira de bordo
• altitude	altitude		
• cabin	carlinga		
• cargo hold	porão	• landing	aterragem
• cockpit	cabina de pilotagem	• oxygen mask	máscara de oxigénio
• co-pilot	co-piloto	• parachute	pára-quedas

♦ pilot	piloto		♦ taking off	descolagem
♦ propeller	hélice		♦ to fasten	apertar
♦ reactor	reactor		♦ to unfasten	desapertar
♦ runway	pista de aterragem / de descolagem		♦ undercarriage / landing gear	trem de aterragem
♦ seat-belt	cinto de segurança		♦ wing	asa

expressions

- What's the number of the flight? — **Qual é o número do voo?**

- What is the boarding gate number? — **Qual é o número da porta de embarque?**

- What time should I be here to check-in? — **A que horas me devo apresentar para o *check-in*?**

- Where is boarding gate number...? — **Onde fica a porta de embarque número...?**

- The plane's about to take off / to land. — **O avião está prestes a descolar / aterrar.**

- How long does the flight to... take? — **Quanto tempo demora o voo para...?**

- Do they serve any meal or drink on board? — **Servem alguma refeição ou bebida a bordo?**

- Fasten your seat-belt, please. — **Apertem o cinto por favor.**

- What altitude are we flying at? — **A que altitude estamos a voar?**

- Can I unfasten the seatbelt? — **Posso desapertar o cinto de segurança?**

- Could you please get me a pillow? — **Pode arranjar-me uma almofada, por favor?**

- Air-hostess, please wake me up when we're overflying the sea / we arrive. — **Hospedeira, acorde-me por favor quando estivermos a voar sobre o mar / a chegar.**

The weather p. 28 ▪ *The meals* p. 53 93

The harbour **Porto marítimo**

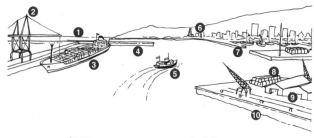

❶	the sea o mar	❻	the lighthouse o farol
❷	the quayside crane o guindaste do cais	❼	the yacht harbour o porto de recreio
❸	the cargo-ship o cargueiro	❽	the shipping station a gare marítima
❹	the pier o molhe	❾	the warehouse os armazéns
❺	the tug o rebocador	❿	the dock o cais

vocabulary

♦ channel	canal	♦ pier	molhe
♦ crossing	travessia	♦ river	rio
♦ disembarkation	desembarque	♦ sail	navegar
♦ dock	atracação / cais	♦ sea-shore	costa
♦ embark / disembark dock	cais de embarque / de desembarque	♦ shore	margem
♦ embarkation	embarque	♦ tide	maré
♦ harbour	porto	♦ to dock	atracar
♦ island	ilha	♦ to sail away	zarpar
♦ lake	lago	♦ trip	viagem

Ships **Embarcações**

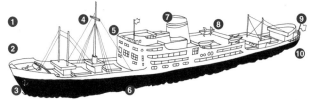

1	the ship o barco	**6**	the hull o casco	**11**	the liner o paquete
2	the stem a proa	**7**	the funnel a chaminé	**12**	the cargo-ship o cargueiro
3	the anchor a âncora	**8**	the life-boat o barco salva-vidas	**13**	the ferry-boat o *ferry-boat*
4	the mast o mastro	**9**	the flag a bandeira	**14**	the sailing-boat o veleiro
5	the ship's bridge a ponte de comando	**10**	the stern a popa	**15**	the dinghy o bote

vocabulary

♦ barge	batelão	♦ commander	comandante
♦ buoy	bóia	♦ cruise	cruzeiro
♦ cabin	cabina / camarote	♦ deck	convés
♦ captain	capitão	♦ deck cabin	camarote sobre o tombadilho
♦ class	classe	♦ hold	porão

To thank / say goodbye p. 34

◆ life-jacket	colete salva-vidas	◆ sailor	marinheiro
◆ lighter	barcaça	◆ seasickness	enjoo
◆ motor-boat / sailing-ship / rowing-boat	barco a motor / à vela / a remos	◆ ship	navio
		◆ ship's rail	amurada
◆ officer	oficial	◆ starboard	estibordo
◆ oil tanker	petroleiro	◆ steer	leme
◆ passenger	passageiro	◆ swinging	oscilação
◆ pilot	piloto		
◆ port	bombordo	◆ touristic class	classe turística
◆ quarter-deck	tombadilho	◆ upper deck	convés superior
◆ reception	recepção		
◆ rolling	balanço	◆ wave	onda
◆ sail	vela	◆ yacht	iate

expressions

▪ Could you tell me where the shipping agency tickets to… are sold?	◄	**Pode dizer-me onde se vendem as passagens da companhia de navegação para…?**
▪ I need to embark to… .	◄	**Preciso de embarcar para… .**
▪ Which is the first ship leaving to…?	◄	**Qual é o primeiro navio a partir para…?**
▪ From which pier does the ship depart?	◄	**De que molhe sai o navio?**
▪ What time does the ferry-boat depart to…?	◄	**A que horas parte o *ferry-boat* para…?**
▪ Are there still seats available on the ship to…?	◄	**Ainda há lugares livres no navio para…?**
▪ Two adult and two children tickets, please.	◄	**Duas passagens de adulto e duas de criança.**
▪ May we take animals?	◄	**Podemos levar animais?**
▪ Do animals also pay a ticket?	◄	**Os animais também pagam passagem?**

▪ Could you put me on the waiting list?	→ **Pode pôr-me na lista de espera?**
▪ I'd like a cabin of... beds on the ship from... to....	→ **Quero um camarote de... camas no navio de... para....**
▪ I'd like a place on the ship for my car.	→ **Desejo um lugar para automóvel no navio.**
▪ How long before the departure do I have to be here?	→ **Quanto tempo antes da partida tenho de apresentar-me para embarque?**
▪ How long does the crossing to... take?	→ **Quanto tempo dura a travessia para...?**
▪ Are there meals served on board?	→ **Há serviço de restaurante a bordo?**
▪ Where can I find my cabin / the deck / the restaurant?	→ **Onde fica a minha cabina / o convés / o restaurante?**

Public transport **Transportes públicos**

vocabulary

◆ automatic ticket office	bilheteira automática	◆ terminus / terminal	fim da linha / o terminal
◆ bus	autocarro	◆ ticket	bilhete
◆ delay	atraso	◆ ticket collector	obliterador
◆ driver	motorista	◆ timetable	horário
◆ line / course	linha	◆ to enter	entrar
◆ pass	passe	◆ to leave	sair
◆ passenger	passageiro	◆ to validate	validar
◆ reduced tariff	tarifa reduzida	◆ traffic jam	engarrafamento
◆ regional trains	comboios regionais	◆ tram	eléctrico
◆ stamp / obliterate	carimbar / obliterar	◆ tramcar (UK) / trolley (USA)	trólei
◆ station	estação	◆ underground (UK) / tube (UK) / subway (USA)	metropolitano / metro
◆ stop	paragem		
◆ tariff	tarifa		

expressions

To call a taxi	Chamar um táxi
▪ Where can I find a taxi?	→ Onde posso encontrar um táxi?
▪ Call me a taxi, please.	→ Chame-me um táxi, por favor.
▪ How much does the route to... cost?	→ Qual é o preço do percurso para...?
▪ Could you take my luggage?	→ Pode levar-me a bagagem?
▪ Should I pay anything extra?	→ Devo pagar um extra?
▪ Take me to this address / to the hotel... / to the city centre / to the airport.	→ Leve-me a esta morada / ao hotel... / ao centro da cidade / ao aeroporto.
▪ I'm in a hurry.	→ Estou com pressa.
▪ Could you go faster / slower?	→ Pode ir mais depressa / devagar?
▪ Stop here, please.	→ Pare aqui, por favor.
▪ How much is it?	→ Quanto é?

Indication of the destiny or the route	Indicação do destino ou do trajecto
▪ Where's the information desk please?	→ Onde fica o balcão de informações, por favor?
▪ I'd like a map of the underground (UK) / subway (USA) / city.	→ Queria um mapa do metro / da cidade.
▪ I'm looking for the underground (UK) / subway (USA) station.	→ Procuro a estação de metro.
▪ Could you tell me where the bus / tram (UK) / trolley (USA) stop is?	→ Pode dizer-me onde fica a paragem do autocarro / do eléctrico?

- I have got to go to ...street. → **Tenho de ir para a rua... .**

- Does the bus number... stop near the...? → **O autocarro número... pára perto de...?**

- At which bus stop should I get off? → **Em que paragem devo sair?**

- How many bus stops are there until...? → **Quantas paragens são até...?**

- Which bus goes past the ...square? → **Qual é o autocarro que passa pela praça...?**

- Do I need to catch another bus? → **É preciso mudar de autocarro?**

- Where should I get off? → **Onde devo sair?**

- Could you warn me when I have to get off? → **Pode avisar-me quando eu tiver de sair?**

- I'd like to get off at the next stop please. → **Por favor, quero sair na próxima paragem.**

The tariffs, the tickets and the timetables

As tarifas, os bilhetes e os horários

- How much does
   the bus /
   the tram (UK) / trolley (USA) /
   the tube (UK) / subway (USA)
   ticket cost?
→ **Quanto custa o bilhete
   do autocarro /
   do eléctrico /
   do metro?**

- Please, give me two tickets to... . → **Dê-me dois bilhetes para...,
   por favor.**

- Is the ticket valid for the whole day? → **O bilhete é válido para o dia inteiro?**

- In every route? → **Em todas as linhas?**

- You can purchase
   half tickets /
   a monthly pass.
→ **Pode adquirir
   meios bilhetes /
   um passe mensal.**

- How much does a pass cost? → **Qual é o preço do passe?**

- Where can I buy the tickets? → **Onde poderei comprar os bilhetes?**

Ciphers and numbers p. 32 99

- They're on sale
  in every tube / subway station /
  in the bus terminal offices /
  at legal stationer's.

  → Estão à venda
  nas estações de metro /
  nos terminais de autocarros /
  nos comerciantes autorizados.

- I'd like a pass, please.

  → Queria um passe, por favor.

- Do I need a photograph?

  → Preciso de uma fotografia?

- When does
  the bus /
  the tram / trolley /
  the tube / subway to... leave?

  → Quando parte
  o autocarro /
  o eléctrico /
  o metro para...?

- The bus /
  the tram / trolley /
  the tube / subway
  has just gone by.

  → O autocarro /
  o eléctrico /
  o metro
  acaba de passar.

- When does the next one go by?

  → Quando passará o próximo?

- You have to validate your ticket in
  the obliterating machine.

  → Tem de validar o bilhete na
  máquina obliteradora.

City life

Urban centre Núcleo urbano

◆ acquedut	aqueduto
◆ ancient part of the town	parte antiga da cidade
◆ arena	arena
◆ avenue	avenida
◆ bank	banco
◆ bridge	ponte
◆ bus	autocarro
◆ café	café
◆ capital	capital
◆ city / town	cidade
◆ city centre	centro (da cidade)
◆ city map	planta da cidade
◆ Consulate	consulado
◆ crossroads	cruzamento
◆ Embassy	embaixada
◆ fountain	fonte
◆ garden	jardim
◆ grove	alameda
◆ hospital	hospital
◆ library	biblioteca
◆ market	mercado
◆ nursery school	infantário
◆ outskirts	arredores
◆ park	parque

◆ pedestrian / zebra crossing	passadeira
◆ pharmacy	farmácia
◆ post office	correios
◆ residencial quarter	bairro
◆ restaurant	restaurante
◆ river	rio
◆ roundabout	rotunda
◆ ...shop / store	loja de...
shopping / trading / sports center	centro comercial / de negócios / desportivo
◆ small town	vila
◆ spa	termas
◆ square	praça
◆ street / road	rua
◆ suburb	subúrbio
◆ taxi	táxi
◆ town hall	câmara municipal
◆ traffic lights	semáforos
◆ underground (UK) / subway (USA)	metropolitano / o metro
◆ view / landscape	vista / paisagem
◆ village	aldeia
◆ walls of a fortress	muralhas

Where is it?

- Where is the closest...?
- I'm looking for a... .
- Is there a... nearby?
- Where is the...?
- I'm looking for a... .

Onde fica?

→ **Onde fica o(a)... mais próximo(a)?**
→ **Procuro um(a)... .**
→ **Há um(a)... perto daqui?**
→ **Onde é o(a)... ?**
→ **Procuro um(a)... .**

Orientation in the city

- Go straight ahead.
- Turn right / left.
- Go until the crossroads.
- It's the first / second road on the right.
- It's right next to the library.
- It's too far to walk there.
- Catch bus number... .
- Could you please take me there?
- There is a bus stop nearby.
- Where can I find a taxi?

Orientação na cidade

→ **Siga sempre em frente.**
→ **Vire à direita / à esquerda.**
→ **Vá até ao cruzamento.**
→ **É a primeira / segunda rua à direita.**
→ **Fica mesmo ao lado da livraria.**
→ **É muito longe para ir a pé.**
→ **Apanhe o autocarro número... .**
→ **Pode levar-me até lá, por favor?**
→ **Há uma paragem de autocarros perto daqui.**
→ **Onde posso encontrar um táxi?**

Tourism Turismo

Tourist visits Visitas turísticas

♦	museu
ancient art / contemporary art / modern art / natural science / history / natural history museum	de arte antiga / de arte contemporânea / de artes modernas / de ciências naturais / de história / de história natural

♦ antiquities	antiguidades
♦ archaeology	arqueologia
♦ architecture	arquitectura
♦ art	arte
♦ artist	artista
♦ bronze	bronze

Tourist information p. 38 ▪ *Public transport* p. 97

• castle	castelo	• low-relief	baixo-relevo
• cave	gruta	• marble	mármore
• century	século	• monument	monumento
• coat of arms	brasão	• original	original
• dead nature	natureza-morta	• painter	pintor
• drawbridge	ponte levadiça	• painting	pintura
• engraving	gravura	• palace	palácio
• excursion	excursão	• picture	quadro
• exhibition	exposição	• portrait	retrato
• façade	fachada	• Prince	príncipe
• fine arts	belas-artes	• Princess	princesa
• fortress	fortaleza	• Queen	rainha
• frame	moldura	• ruins	ruína
• fresco painting	fresco	• sculptor	escultor
• high-relief	alto-relevo	• sculpture	escultura
• history	história	• sketch	esboço
• inscription	inscrição	• statue	estátua
• King	rei	• tapestry	tapeçaria
• landscape	paisagem	• torso	busto
• large room	sala	• tour leader	guia

The amusement park O parque de diversões

• big dipper	montanha-russa	• lottery	lotaria
• bumper cars / dodgems	carrinhos de choque	• party	festa
• candy-floss	algodão-doce	• popcorn	pipocas
• crêpe	crepe	• roundabot	carrocel
• fireworks	fogo-de-artifício	• target practice	tiro ao alvo
• ghost-train	comboio-fantasma	• toffee apple	maçã doce

expressions

Asking for information about places, prices and timetables

Pedir informações sobre locais, preços e horários

- What (tourist) attractions can we find here? → Que atracções existem aqui?

- Have you got a guide book or leaflet of the performances? → Tem um guia de espectáculos?

- Could you recommend me a good show? → Pode recomendar um bom espectáculo?

- Where can I see
  a good play /
  a good film /
  a concert /
  a variety show? → Onde posso ver
  uma boa peça de teatro /
  um bom filme /
  um concerto /
  um espectáculo de variedades?

- Are the seats in a good position? → Os lugares são bons?

- What time does...
  start /
  finish? → A que horas
  começa /
  acaba...?

- What time does the museum open /
  close? → A que horas
  abre /
  fecha o museu?

- Is it open all day? → Está aberto durante todo o dia?

- It isn't a guided tour. → A visita não é guiada.

- There are tourist guides and taped cassettes too. → Há guias turísticos e também cassetes gravadas.

Buying the tickets

Compra dos bilhetes

- Free entry / admission. → Entrada livre.

- How much
  does the entry fee cost /
  is the admission? → Quanto custa a entrada / o bilhete?

- I'd like
  one /
  two ticket(s), please. → Quero
  um bilhete /
  dois bilhetes, por favor.

- Are there any reductions for
  children /
  students? → Há reduções para
  crianças /
  estudantes?

- Is there any day with a price reduction? → Há algum dia de preço reduzido?

- Are you in the queue? → Está na fila?

Express interest in a certain topic

- I'm interested in
  antiquities /
  archeology /
  art /
  folk art /
  craftsmanship /
  pottery /
  painting /
  sculpture.

- Where is the painting / picture of... exposed?

- Where can I find...?

Exprimir interesse sobre um determinado tema

→ Interesso-me por
  antiguidades /
  arqueologia /
  arte /
  arte popular /
  artesanato /
  olaria /
  pintura /
  escultura.

→ Onde está exposto o quadro de...?

→ Onde posso encontrar...?

Comment, express an appreciation

Comentar, exprimir uma apreciação

It's...	É...
astonishing / amazing	espantoso
beautiful	lindo
calm	calmo
different	diferente
dreadful	pavoroso
extraordinary	extraordinário
fantastic	fantástico
grand	grandioso
horrible	horroroso
interesting	interessante
lugubrious	lúgubre
magnificent	magnífico
monumental	monumental
noisy	barulhento
rare	raro
splendid	estupendo
strange	estranho
terrible	terrível
tremendous	tremendo
ugly	feio

Leisure **Lazer**

vocabulary

♦ ballet	bailado
♦ casino	casino
♦ cinema	cinema
♦ circus	circo
♦ concert	concerto
♦ disco	discoteca
♦ film	filme
♦ Karaoke	karaoke
♦ music	música
♦ opera	ópera
♦ orchestra	orquestra
♦ performance / show	espectáculo
♦ theatre	teatro
♦ variety show	espectáculo de variedades

pack of cards	o baralho de cartas
clubs	paus
diamonds	ouros
hearts	copas
spades	espadas
ace	ás
king	rei
queen	dama
jack	valete
chess	o xadrez
king	rei
queen	rainha
bishop	bispo
knight	cavalo
castle / rook	torre
pawn	peão
check	xeque
checkmate	xeque-mate
draughts	as damas
draughtsman	peça

Invitations

- The meeting; invitation
  to go out /
  for lunch /
  for dinner /
  for a drink /
  to dance...

- How are you / have you been?

- Do you like this?

- Are you alone?

Convites

- O encontro; convite para
  sair /
  almoçar /
  jantar /
  uma bebida /
  dançar...

- Como está / tem passado?

- Gosta disto?

- Está sozinho(a)?

▪ I'm with
  some friends /
  a friend /
  the family.
	→ Estou com
	  amigos /
	  um(a) amigo(a) /
	  a família.

▪ I'm on a
  business /
  holiday trip.
	→ Estou em viagem
	  de negócios /
	  de férias.

▪ Are you waiting for someone?	→ Está à espera de alguém?

▪ Are you busy
  tonight (later) /
  tomorrow?
	→ Está ocupado(a)
	  logo /
	  amanhã?

▪ Would you like to go out with me
  tonight /
  tomorrow?
	→ Quer sair comigo
	  esta noite /
	  amanhã?

▪ Can I invite you for
  lunch /
  dinner?
	→ Posso convidá-lo(a) para
	  almoçar /
	  jantar?

▪ Do you know a good restaurant?	→ Conhece um bom restaurante?

▪ Can I offer you
  a drink /
  a coffee?
	→ Posso oferecer-lhe
	  uma bebida /
	  um café?

▪ Shall we go to
  the cinema /
  the theatre /
  the disco?
	→ Vamos
	  ao cinema /
	  ao teatro /
	  à discoteca?

▪ Would you like to go
  dancing /
  out for a walk?
	→ Quer ir
	  dançar /
	  dar uma volta?

▪ Where do you live?	→ Onde mora?
▪ What's your telephone number?	→ Qual é o seu número de telefone?

▪ Where / What time do
  we meet?
	→ Onde / A que horas nos
	  encontramos?

▪ What time should I / we go?	→ A que horas devo / devemos ir?
▪ May I pick you up at...?	→ Posso vir buscá-lo(a) às...
▪ May I accompany you home?	→ Posso acompanhá-lo(a) a casa?
▪ It's very nice of you.	→ É muito simpático da sua parte.

▪ Thank you very much for the
  pleasant evening.
	→ Obrigado por esta noite tão
	  agradável.

▪ I'm looking forward to seeing you soon.	→ Espero voltar a vê-lo(a) em breve.
▪ See you soon / tomorrow.	→ Até breve / amanhã.
▪ Till we meet again.	→ Até à vista.

Shows

Espectáculos

- Cinema / theatre / opera / ballet / concert / disco
- Cinema / teatro / ópera / bailado / concerto / discoteca

- Where is
  the cinema /
  the theatre /
  the opera theatre /
  the playhouse?
- Onde fica
  o cinema /
  o teatro /
  o teatro de ópera /
  a sala de concertos?

- Could you recommend me a good disco?
- Pode indicar-me uma boa discoteca?

- What's on at the cinema tonight?
- O que passa no cinema hoje à noite?

- Could you recommend me
  a good film /
  a comedy /
  a gangster movie?
- Pode aconselhar-me
  um bom filme /
  uma comédia /
  um filme policial?

- Where is the new film of... going to be on?
- Onde vai estar o novo filme de...?

- What's on at the theatre?
- O que passa no teatro?

- What kind of play is it?
- Que género de peça é?

- Which theatre is the new play of... on?
- Em que teatro está a nova peça de...?

- What time does
  the show /
  the first night session start?
- A que horas começa
  o espectáculo /
  a primeira sessão da noite?

- Which opera is on tonight?
- Que ópera é representada esta noite?

- Who's singing / dancing?
- Quem canta / dança?

- Which orchestra is playing?
- Que orquestra toca?

- Who's the maestro?
- Quem é o maestro?

- Are there still tickets for tonight?
- Ainda há bilhetes para hoje à noite?

- How much is the ticket?
- Quanto custa o bilhete?

- I'd like to reserve two tickets / two seats for Saturday night's show.
- Queria reservar dois bilhetes / duas entradas para o espectáculo de sábado à noite.

- I'd like a ticket for Sunday morning's show.
- Queria um bilhete para a *matinée* de domingo.

- I'd like a ticket for the stalls, not too far behind.
- Queria um bilhete de plateia, não muito atrás.

- In the middle, is it all right?
- No meio, pode ser?

- How much do the tickets for the balcony cost?
- Quanto custam os bilhetes de balcão?

- Is evening dress necessary?
- É necessário traje de noite?

- Could you give me a programme please?
- Pode dar-me um programa, por favor?

- Could you keep this coat for me?
- Pode guardar-me este casaco?

Commerce and services **Comércio e serviços**

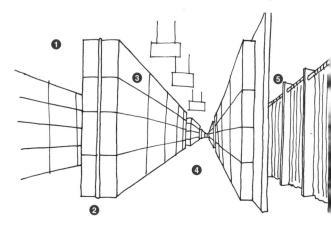

① the commercial shop
o estabelecimento comercial

② the section
a secção

③ the shelf
a prateleira

④ the corridor
o corredor

⑤ changing / fitting booth
cabina de provas

⑥ the shop assistant / clerk
a balconista / a empregada

vocabulary

♦ tantiquarian	antiquário	♦ dry-cleaner's	lavandaria a seco
♦ art gallery	galeria de arte	♦ fish market	peixaria
♦ baker's	padaria	♦ grocer's	mercearia
♦ barber's	barbeiro	♦ hairdresser's	cabeleireiro
♦ beauty salon	salão de beleza	♦ jeweller's	joalharia
♦ bookshop	livraria	♦ jeweller's	ourivesaria
♦ butcher's	talho	♦ kiosk	quiosque
♦ confectioner's	confeitaria	♦ laundry	lavandaria

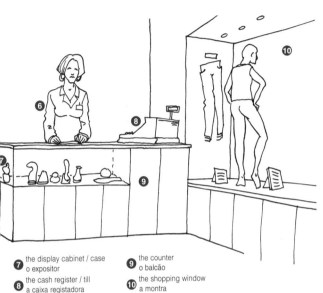

7 the display cabinet / case
o expositor

8 the cash register / till
a caixa registadora

9 the counter
o balcão

10 the shopping window
a montra

♦ market	mercado	♦ sport equipment shop	loja de artigos de desporto
♦ optician's	óptica	♦ supermarket	supermercado
♦ pharmacy	farmácia	♦ tobacconist's	tabacaria
♦ photographic equipment shop	loja de artigos fotográficos	♦ travel agency	agência de viagens
♦ ready-made	pronto-a-vestir		
♦ shoemaker's	sapataria	♦ warehouse	armazéns
♦ souvenir shop	loja de lembranças	♦ watch-maker's	relojoaria

expressions

Asking for information

- Where is the nearest (closest)...?
- Where is there a good...?
- Where can I find...?
- Could you recommend me a cheap...?
- How do I get there?
- Could you help me?
- I'd like to buy... .
- Have you got...?
- Can I see that?
- Where's the changing booth?

Pedir informações

- Onde fica o(a)... mais próximo(a)?
- Onde há um(a) bom(oa)...?
- Onde posso encontrar...?
- Pode aconselhar-me um(a)... barato(a)?
- Como vou para lá?
- Pode ajudar-me?
- Queria comprar... .
- Tem...?
- Posso ver aquilo?
- Onde é a cabina de provas?

Describing / Asking for an object

- Could you show me the one that's in
  the shopping window /
  in the show case?
- It's over there.

Descrever / pedir um objecto

- Pode mostrar-me aquele que está
  na montra /
  no mostruário?
- Está ali.

I'd like it to be...	Queria que fosse...		
cheap	barato	light	leve
good	bom	in gold	em ouro
oval	oval	in silver	em prata
rectangular	rectangular	of cottonwool	de algodão
round	redondo	of leather	de cabedal
square shaped	quadrado	of rubber	de borracha
dark	escuro	of silk	de seda
light	claro	of velvet	de veludo
big	grande	this colour	desta cor
small	pequeno	similar to this	parecido com isto
heavy	pesado		

- I don't want anything too expensive.
- What I'm really looking for is... .

- Não quero nada muito caro.
- O que procuro é (antes)... .

Indicating a place p. 25 ▪ Describing someone, something, a place p. 27 ▪ Colours and shapes p. 27

The souvenirs

- I'd like a souvenir of the region. →
- What do you advise me? →
- What's the most typical thing here? →

As lembranças

Queria uma lembrança da região.

O que me aconselha?

O que há de mais típico aqui?

Express a preference

- Could you show me others? →
- Haven't you got anything
    cheaper /
    better /
    bigger /
    smaller /
    of another colour? →
- I prefer... . →
- I'd like... more / very much. →
- It doesn't suit me much. →
- It's not exactly this colour /
    this shade. →

Exprimir uma preferência

Pode mostrar-me outros(as)?

Não tem nada
    mais barato /
    melhor /
    maior /
    mais pequeno /
    de outra cor?

Prefiro... .

Gosto mais de / muito de... .

Não me fica muito bem.

Não é bem esta cor /
    este tom.

Order / purchase

- We haven't got what you'd like
    at the moment. →
- Do you want us to order it? →
- Can it be ordered? →
- I'd like to order one. →
- How long will it take? →
- Will it still get here
    by today /
    tomorrow? →
- This is exactly what I want. →
- I'll take it. →
- Could you wrap it for me? →
- I'd like to offer a present. →
- Is it possible to send it to this
    address? →

Encomenda / compra

De momento não temos o que
    deseja.

Quer que encomendemos?

É possível encomendar?

Gostaria de encomendar um.

Quanto tempo demora?

Estará cá
    ainda hoje /
    amanhã?

É mesmo isto que quero.

Levo-o(a) comigo.

Pode embrulhar-mo(a)?

Quero oferecer um presente.

É possível mandá-lo para esta
    morada?

Claims / request for change or replacement

Reclamações / pedido de troca ou substituição

- You've made a mistake in the amount to pay. → Enganou-se na conta.

- I'd like to return this. → Queria devolver isto.

- This is broken / spoiled. → Isto está partido / estragado.

- It's cracked. → Está rachado.

- This has got a hole. → Isto tem um buraco.

- The pocket is torn. → O bolso está rasgado.

- The hem needs to be sewn. → É preciso coser a bainha.

- It doesn't work. → Não funciona.

- Could you change this for me? → Pode trocar-me isto?

- I'd like to change this. → Quero trocar isto.

- It isn't my size. → Não é o meu número.

- This isn't complete. → Isto não está completo.

- I'd like a refund. Here's the receipt. → Queria o reembolso. Aqui está o recibo.

Request for repairs

Pedido de reparações

- This apparatus doesn't work. Could you repair it? → Este aparelho não funciona. Pode repará-lo?

- I'm having problems with.... → Tenho problemas com... .

- These trousers are too wide. Could you tighten them for me? → Estas calças estão largas. Pode apertar-mas?

Ask for discount

Pedido de desconto

- It's too expensive. I can't take it. → É muito caro. Não o posso levar.

- Oh, I wouldn't want to spend more than...! → Ah, não queria gastar mais de...!

- Is it a fixed price? → Este preço é fixo?

- Can't you make a discount? → Não pode fazer um desconto?

- Isn't this article on sale? → Este artigo não está em saldo?

Expressing satisfaction / disapproval (to complain) p. 32

Payment and ways of paying

Pagamento e formas de pagamento

- How much is it? → Quanto custa?
- It costs... pounds. → Custa... libras.
- I can't / don't want to spend more than... . → Não posso / Não quero gastar mais de... .
- Can I pay here? → Posso pagar aqui?
- No, you should pay at the cashier. → Não, deve pagar na caixa.
- Where is the cashier? → Onde é a caixa?
- The cashier is over there. → A caixa é ali.
- How do you intend to pay? → Como pretende pagar?
- In cash
  By cheque /
  With a bank card /
  By credit card /
  In foreign currency.
  → Em dinheiro
  Em cheque /
  Com cartão bancário /
  Com cartão de crédito /
  Em divisas.
- Do you accept
  cheques /
  foreign currency /
  a credit card?
  → Aceita
  cheques /
  divisas /
  cartão de crédito?
- Haven't you got change? → Não tem trocado?
- Here's the change. → Aqui tem o troco.
- You can keep the change. → Pode ficar com o troco.
- VAT (value added tax) → IVA (imposto sobre o valor acrescentado)
- price without tax → preço sem o imposto
- price with tax → preço com o imposto

At the hairdresser's

No cabeleireiro

- Can you help me? → Pode atender-me?
- How long do I have to wait? → Quanto tempo tenho de esperar?
- I've got some time, I can wait. → Tenho algum tempo, posso esperar.
- I'm in a big hurry, I have to go. → Estou com muita pressa, tenho de ir embora.

• I'd like a haircut and a hair-do.	→ Queria um corte e mise.
• I'd like a new hair-style.	→ Quero um novo penteado.
• I'd only like to have it washed and combed.	→ Queria apenas lavar e pentear.

• I normally use shampoo for
  normal /
  dry /
  oily hair.
	→ Normalmente uso champô para cabelos
	  normais /
	  secos /
	  oleosos.

• Could you apply me a lotion for my white hair?	→ Pode aplicar-me uma loção para cabelos brancos?

• I'd like to have
  a perm /
  a manicure /
  a pedicure /
  a facial mask.
	→ Quero fazer
	  uma permanente /
	  uma manicura /
	  uma pedicura /
	  uma máscara facial.

• What nail polish do you prefer?	→ Que verniz prefere?
• How long does a perm take?	→ Quanto tempo é preciso para uma permanente?

• I'd like to have my hair dyed
  the same colour /
  in a darker colour /
  in a lighter colour /
  golden brown /
  brown /
  blond.
	→ Queria pintar o cabelo
	  da mesma cor /
	  de uma cor mais escura /
	  de uma cor mais clara /
	  de castanho-dourado /
	  de castanho /
	  de louro.

• Have you got a show case of the dyes?	→ Tem um mostruário das tintas?
• Don't cut much.	→ Não corte muito.
• Cut the fringe a little.	→ Corte um pouco a franja.
• Could I have my hair dried with the hair-dryer?	→ Pode secar-me o cabelo debaixo do secador?

At the barber

No barbeiro

• I'd like to have my beard and hair done, please!	→ Queria cortar a barba e o cabelo, por favor!

• Could you trim
  my beard /
  my moustache /
  my side whiskers?
	→ Pode aparar-me
	  a barba /
	  o bigode /
	  as patilhas?

- Just a shave, please. → Faça-me a barba, por favor.
- It's only to trim. → É só para aparar.
- Don't cut it with the machine. → Não corte com a máquina.
- Only with the scissors, please. → Só à tesoura, por favor.
- Is the blade new? → A lâmina é nova?
- It's not very sharp. → Não está bem afiada.
- Cut a little more → Corte mais um pouco
  at the back / atrás /
  the scruff of the neck / na nuca /
  on the sides / dos lados /
  on top. em cima.
- It's enough. → É suficiente.
- Please brush my coat. → Por favor, dê-me uma escovadela no casaco.
- Thank you, it's fine. → Obrigado, está óptimo.

Clothing

Vestuário

- I'd like... for... . → Queria... para... .
- I'd like something similar to this. → Queria qualquer coisa neste género.
- Have you got size...? → Tem o tamanho...?
- May I try it on to see if it suits me? → Posso prová-lo para ver como me fica?
- It's in fashion this year. → Este ano está na moda.
- It suits me. → Fica-me bem.
- It only needs → É só preciso
  to be shortened / encurtar /
  lengthened a little. alongar um pouco.
- I'd like it in a darker shade, → Queria num tom mais
  that matches with.... escuro, que condiga com....
- I'd prefer it → Prefiro
  plain / liso /
  striped / às riscas /
  ` checked. aos quadrados.
- Is it handmade? → É feito à mão?

- I'd like something more delicate / of better quality.
  → **Quero uma coisa mais fina / de melhor qualidade.**

- What's it made of?
  → **De que é feito?**

It's made of...

É de...

camel's hair	pêlo de camelo
chamois-leather (shammy)	camurça
chiffon	chiffon
cotton	algodão
crepa (crape)	crepe
felt	feltro
flannel	flanela
gabardine	gabardina
lace	renda
leather	cabedal
linen	linho
poplin	popelina
satin	cetim
serge	sarja
silk	seda
tulle	tule
velvet	veludo
wool	lã

- Does it shrink?
  → **Encolhe?**

- Does it need ironing?
  → **É preciso passar a ferro?**

- Is it machine washable?
  → **Pode-se lavar à máquina?**

Shoes

Sapatos

- I'd like a pair of
  shoes /
  boots /
  sandals /
  slippers.
  → **Quero um par de sapatos / botas / botins / sandálias / chinelos.**

- I'd like them in
  rubber /
  leather /
  chamois /
  cloth.
  → Queria em
  borracha /
  pele /
  camurça /
  pano.

- I'd like to try them on. → Gostava de experimentá-los(as).

- What shoe size are you? → Que número calça?

- I'm size... . → Calço o número... .

- These are too
  tight /
  wide /
  big /
  small.
  → Estes estão muito
  apertados /
  largos /
  grandes /
  pequenos.

- It's difficult to slip my foot into the shoe. → É difícil enfiar o pé no sapato.

- Would you give me the shoehorn, please? → Pode dar-me a calçadeira, por favor?

- Have you got a
  bigger /
  smaller size?
  → Tem um tamanho
  maior /
  mais pequeno?

- The heel is too
  high /
  flat.
  → O salto é demasiado
  alto /
  baixo.

- Are there no flatter / (lower) heeled shoes? → Não há sapatos de salto mais baixo?

- Have you got the same in
  white /
  brown /
  black?
  → Tem os mesmos em
  branco /
  castanho /
  preto?

- Is it genuine leather? → É pele verdadeira?

- Is the sole also made of leather? → E a sola também é de couro?

- I've got very sensitive feet. → Tenho os pés muito sensíveis.

- I'd like very comfortable shoes. → Quero sapatos muito cómodos.

- These shoes suit me. → Estes sapatos ficam-me bem.

- I'd like shoe
  polish /
  shoe laces.
  → Queria
  graxa /
  atacadores de sapatos.

- Have you also got gym-shoes for
  women /
  for men?
  → Tem também sapatos de ginástica para
  senhora /
  homem?

- Have you got trainers? → Tem sapatilhas?

Clothes and accessories

I'd like...

a bathrobe	um roupão de banho
a belt	um cinto
a beret	um gorro
a blouse	uma blusa
a bow	um laço
a cap / a bonnet	um boné
a coat	um casaco
a dress	um vestido
a dressing gown	um robe
an evening dress	um vestido de noite
a handkerchief	um lenço
a hat	um chapéu
a neckerchief	um lenço de pescoço
an overcoat	um casaco comprido
a pair of braces	uns suspensórios
a pair of gloves	um par de luvas
a pair of stockings	um par de meias
a pair of trousers / slacks	umas calças
pantihose (UK) / tights (USA)	umas meias-calças
a pullover	um pulôver
a pyjamas	um pijama
a scarf	um cachecol
a shawl	um xaile
a shirt	uma camisa
a skirt	uma saia
socks	umas peúgas
a sweater	uma camisola
a tie	uma gravata
a waistcoat	um colete

Roupas e acessórios

Queria...

Laundry and dry cleaning

- I'd like to send these items to wash / to clean.

- It only needs to be starched.

- Are these stains removable?

Lavandaria e limpeza a seco

→ Queria mandar lavar / limpar estas peças.

→ Só precisa de ser engomado.

→ Estas nódoas saem?

Can you remove this stain for me?	→	Pode tirar-me esta nódoa?
It's	→	É
coffee /		café /
wine /		vinho /
grease /		gordura /
chocolate.		chocolate.
This is torn, can you sew it?	→	Isto está rasgado, pode coser?
When will it be ready?	→	Quando é que estará pronto?
I need that for... .	→	Preciso disso para... .
Come back at six o'clock.	→	Volte às seis.
We can't do this before... .	→	Não podemos fazer isto antes de... .
It will take at least two days.	→	Leva pelo menos dois dias.

Hygienic products

Produtos de higiene

A packet of razor blades, please.	→	Um pacote de lâminas de barbear, por favor.
I'd also like	→	Queria também
a lotion for the beard /		uma loção para a barba /
an aftershave.		um *aftershave*.
I'd like	→	Queria
a toothpaste /		uma pasta dentífrica /
a toothbrush /		uma escova dos dentes /
a bottle of shampoo /		um frasco de champô /
a box of tissues /		uma caixa de lenços de papel /
a toilet roll,		um rolo de papel higiénico,
please.		por favor.
I'd like	→	Queria
eau de Cologne /		uma água-de-colónia /
a perfume /		um perfume /
a cream for... .		um creme para... .
May I try it?	→	Posso experimentar?
May I take a sample?	→	Posso levar uma amostra?
What type of toilet soaps have you got?	→	Que tipos de sabonete tem?
Have you got	→	Tem
sun-tan cream /		creme /
sun-tan oil?		óleo de bronzear?

Bookshop and kiosk

- Where can I buy
  a newspaper /
  a notebook /
  an exercise book /
  an address book /
  a map of the city /
  a pack of cards /
  some postcards /
  envelopes /
  a pen / a ball-point pen /
  a magazine?

- Where are the guidebooks?

- Have you got an
  English-Portuguese /
  Portuguese-English dictionary?

- Have you got English
  newspapers?

- When / What time do they
  normally arrive?

- Have you got a map of the city?

- Are all the public transports
  marked?

Tobacconist's

- I'd like
  matches /
  a lighter /
  a refill for the lighter /
  gas for the lighter /
  a packet of cigars /
  a cigar /
  a cigarette-case /
  a cigarette-holder /
  a packet of cigarettes /
  a pipe /
  a pipe-cleaner /
  pipe tobacco.

- I'd like three postcards.

- And stamps for abroad too.

Livraria e quiosque

→ Onde posso comprar
  um jornal /
  um caderno de apontamentos /
  um caderno de exercícios/
  um caderninho de endereços /
  um mapa da cidade /
  um baralho de cartas /
  uns postais /
  envelopes /
  uma caneta, esferográfica /
  uma revista?

→ Onde estão os guias?

→ Tem um dicionário
  de inglês-português /
  de português-inglês?

→ Tem jornais ingleses?

→ Quando / A que horas
  costumam chegar?

→ Tem um mapa da cidade?

→ Estão assinalados todos os
  transportes públicos?

Tabacaria

→ Queria
  fósforos /
  um isqueiro /
  uma carga para isqueiro /
  gás para isqueiro /
  uma caixa de charutos /
  um charuto /
  uma cigarreira /
  uma boquilha /
  um maço de cigarros /
  um cachimbo /
  um limpa-cachimbos /
  tabaco de cachimbo.

→ Quero três postais.

→ E também selos para o estrangeiro.

- Is there a pillar-box nearby? → Há um marco do correio aqui perto?

- A packet of cigarettes without / → Um maço de cigarros sem /
  with a filter-tip, please. com filtro, por favor.

- The lightest ones you've got. → Os mais suaves que tiver.

- How much does a packet of... → Quanto custa um maço de...?
  cost?

- I'd like → Queria
  a lighter / um isqueiro /
  a box of matches. uma caixa de fósforos.

Photography

Fotografia

- I'd like a film for this camera. → Queria um rolo para esta máquina.

- Have you got → Tem
  a filmstrip of eight millimetres / um filme de oito milímetros /
  a coloured photographic film / uma película a cores /
  a black and white photographic film / uma película a preto e branco /
  a film cassette of thirty-six um rolo de trinta e seis
    photographs? fotografias?

- I'd also like → Queria também
  some flashbulbs / umas lâmpadas *flash* /
  some flash cubes / uns cubos *flash* /
  a shutter release button / um cabo disparador /
  a lid for the lens / uma tampa para a objectiva /
  a camera case / um estojo de máquina /
  a product to clean the lens / um produto para limpar a objectiva /
  a lens pouch / uma capa de lente /
  a metre cell / um fotómetro /
  a telephoto lens / uma teleobjectiva /
  a tripod. um tripé.

- Could you develop this? → Pode revelar isto?

- I'd like... copies of each negative. → Queria... cópias de cada negativo.

- Could you enlarge this to this → Pode ampliar isto neste tamanho?
  size?

- When will it be ready? → Quando estará pronto?

- This apparatus isn't working. → Este aparelho não funciona.
  Could you repair it? Pode repará-lo?

- The film is blocked. → O filme está bloqueado.

- The button doesn't rotate. → O botão não gira.

- I've got some problems with → Tenho problemas com
  the automatic lens / a lente automática /
  the image exposure counter. o contador de imagens.

Request for repairs p. 114

At the optician

- I need to buy a pair of
  glasses /
  sunglasses.

- It can have a
  thin frame /
  light frame /
  strong frame.

- The lenses are fine but the frame
  is too tight.

- I'd like to try contact lenses.

- Do they irritate the eyes?

- For how long can I use them?

- Do I need any special liquid?

- I've lost a lens. Can you
  replace it?

- I've broken the glasses.

No oculista

→ Preciso de comprar um par de
  óculos /
  óculos de sol.

→ Pode ser com
  armação fina /
  armação leve /
  armação forte.

→ As lentes estão bem, mas a
  armação está muito apertada.

→ Pretendo experimentar umas
  lentes de contacto.

→ Irritam os olhos?

→ Durante quanto tempo posso
  usá-las?

→ É preciso um líquido especial?

→ Perdi uma lente. Pode
  substituí-la?

→ Parti os óculos.

Nourishment / food

- Give me
  a kilo /
  half a kilo of...,
  please.

- A hundred grams
  of sweats /
  of chocolates, please.

- A bottle of... .

- Has it got a deposit?

- I'd like
  a jar /
  a can /
  a packet /
  a package of... .

- Do you sell frozen food?

- This fruit is very
  hard /
  soft.

- Are they ripe?

Alimentos

→ Dê-me
  um quilo /
  meio quilo de...
  por favor.

→ Cem gramas
  de rebuçados /
  de chocolates, por favor.

→ Uma garrafa de... .

→ Tem depósito?

→ Queria
  um frasco /
  uma lata /
  um pacote /
  uma embalagem de... .

→ Vende alimentos congelados?

→ Estes frutos estão muito
  rijos /
  moles.

→ Estão maduros(as)?

Fish p. 55 ▪ **Meat** p. 56 ▪ **Fowl** p. 57 ▪ **Fruit** p. 59 ▪ **Drinks** p. 60

▪ Is it fresh?	→	É fresco?
▪ This is not good.	→	Isto não está bom.
▪ This isn't fresh.	→	Isto não está fresco.
▪ A bread roll / a loaf of bread, please.	→	Um pão / um cacete, por favor.

▪ How much is it
  a kilo /
  a bottle /
  a unit?
	→	A como é
		  o quilo /
		  a garrafa /
		  a unidade?

Institutions and public services   Instituições e serviços públicos

vocabulary

The police   The police

♦ assault / robbery	assalto / roubo	♦ kidnapping / sequestration	rapto / sequestro
♦ assault with a jerk	roubo com esticão	♦ money	dinheiro
♦ breaking in	arrombamento	♦ passport	passaporte
♦ credit card	cartão de crédito	♦ police station	esquadra de polícia
♦ denunciation	denúncia	♦ policeman (policewoman)	polícia
♦ handbag / wallet	carteira		
♦ identity card (ID)	bilhete de identidade	♦ to steal / rob	roubar
		♦ to threaten	ameaçar

expressions

The police station

A esquadra

▪ Where's the closest police station?	→	Onde fica a esquadra mais próxima?
▪ I want to lodge a complaint.	→	Quero apresentar queixa.
▪ I'm going to report a theft.	→	Vou participar um furto.

▪ I've lost
  all my documents /
  my handbag (wallet)
	→	Perdi
		  todos os meus documentos /
		  a minha carteira.

▪ They've stolen
  my bag /
  my suitcase.
	→	Roubaram-me
		  a bolsa /
		  a mala.

Expressing quantity, measurement and size p. 20 ▪ *Documents* p. 36 ▪ *Formalities* p. 37 125

- It had
  my credit card /
  my identity card (ID) /
  my cheque-book.

→ Continha
  o cartão de crédito /
  o bilhete de identidade /
  o livro de cheques.

- I've been a victim of an armed assault.

→ Fui vítima de assalto à mão armada.

- I was threatened with
  a gun /
  a knife /
  a syringe.

→ Ameaçaram-me com
  uma pistola /
  uma faca /
  uma seringa.

- They've stolen my car with all the luggage.

→ Roubaram-me o carro com toda a bagagem.

- It was parked in ...street.

→ Estava estacionado na rua... .

- It had / didn't have an alarm.

→ Tinha / Não tinha alarme.

- How many forms do I have to fill in?

→ Quantos impressos tenho de preencher?

- I'm a foreigner.

→ Sou estrangeiro.

- I'm here on holiday with my family.

→ Estou aqui de férias com a família.

- My address here is... .

→ O meu endereço aqui é... .

- Where should I sign?

→ Onde devo assinar?

---

vocabulary

The religion A religião

♦ abbey	abadia	♦ catholic	católico
♦ altar / high altar	altar / altar-mor	♦ ceremony	cerimónia
♦ arch	arco	♦ chapel	capela
♦ baptistery	baptistério	♦ choir	coro
♦ basilica	basílica	♦ clergyman	sacerdote
♦ belfry	campanário	♦ confession /	confissão /
♦ believer / belief	crente / crença	to confess /	confessar /
♦ bell	sino	confessional	confessionário
♦ blessing	bênção	♦ convent	convento
♦ bonze /	bonzo /	♦ conversion /	conversão /
Buddhist priest	sacerdote budista	to convert oneself	converter-se
♦ candle	vela	♦ cross	cruz
♦ carillon	carrilhão	♦ crucifix	crucifixo
♦ catacombs	catacumbas	♦ crypt	cripta
♦ cathedral	catedral	♦ dome	cúpula

◆ faith	fé	◆ pillar	coluna
◆ faithful / devoted	fiel	◆ prayer	oração
◆ fasting / to fast	jejum / jejuar	◆ Pope	papa
◆ font	pia de água benta	◆ priest / parish-priest	padre / pároco
◆ friar / monk	frade / monge	◆ protestant	protestante
◆ host / hostia	hóstia	◆ pulpit	púlpito
◆ imam	imã	◆ rabbi / rabbin	rabino
◆ mass / high mass / mass for the dead	missa / solene / fúnebre	◆ to receive communion	comungar
◆ mosque	mesquita	◆ religious	religioso
◆ nave / church tower	nave / torre da igreja	◆ religious order	ordem religiosa
◆ organ	órgão	◆ religious rite	rito religioso
◆ pagoda / temple	pagode	◆ sacred	sagrado
◆ pastor	pastor	◆ sin	pecado
◆ penitence / penance	penitência	◆ synagogue	sinagoga
		◆ tomb / grave	túmulo / sepultura
◆ pilgrimage	peregrinação	◆ vault	abóbada

expressions

Religious services

- Is this the famous church of...?
- Is it possible to visit the cathedral?
- What are the mass timetables?
- What are your (their) ritual beliefs?
- What century is the church / the belfry from?
- To whom is this basilica devoted to?
- How many steps has it got?
- This is the relic of... .
- Who painted the frescos in the vaults?
- Who does that statue represent?

Serviços religiosos

→ É esta a famosa igreja de...?
→ É possível visitar a catedral?
→ Qual é o horário das missas?
→ Quais são os vossos rituais (deles)?
→ De que século é a igreja / o campanário?
→ A quem é dedicada esta basílica?
→ Quantos degraus tem?
→ Esta é a relíquia de... .
→ De quem são os frescos das arcadas?
→ Quem representa aquela estátua?

The bank Banco

1 the bank clerk
o funcionário

2 the cashier /teller
a caixa

3 the printed form
o impresso

4 the counter
o balcão

The cheque book O livro de cheques

• banker	banqueiro	• current account	conta--corrente
• bank note / low value / high value bank note	nota / nota pequena / nota grande	• to debit	debitar
		• deposit	depósito
• bank transfer	transferência bancária	• exchange	câmbio
		• exchange rate	taxa de câmbio
• bill / bond	vale	• information / enquiries	as informações
• bill of exchange	letra de câmbio		
• branch	sucursal	• interest	juro
• change	troco	• money / ready money / money not in circulation (no longer in circulation)	dinheiro / dinheiro contado / dinheiro fora de circulação
• cheque	cheque		
• collection of money	cobrança		
• to credit	creditar	• money-changer	cambista

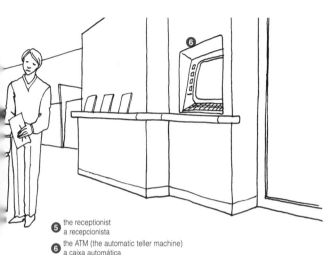

5 the receptionist
a recepcionista

6 the ATM (the automatic teller machine)
a caixa automática

♦ quantity / sum	quantia / soma	♦ tax free	isento de impostos
♦ refund	reembolso	♦ traveller's cheque	*traveller's* cheque
♦ safe	cofre-forte	♦ uncovered cheque	cheque sem fundos
♦ savings bank	caixa económica	♦ withdrawal	levantamento

Withdrawals and foreign exchange in automatic machines

Levantamento e câmbio em máquinas automáticas

♦ insert your card	introduza o seu cartão	♦ balance-sheet / enquiry	consulta do saldo
♦ wait a moment	aguarde um momento	♦ statement enquiry	consulta de movimentos
♦ enter your code, please	insira o seu código, por favor	♦ other operations	outras operações
♦ withdrawal	levantamento	♦ foreign exchange	câmbio
♦ amount	quantia	♦ remove your card	retire o seu cartão

expressions

Where is it?	**Onde fica?**

- Where is
  the closest bank /
  the closest foreign exchange
  office? → Onde fica
  o banco /
  a casa de câmbios
  mais próximo(a)?

- What are the working hours? → Qual é o horário de funcionamento?

- Where can I exchange traveller's
  cheques? → Onde é que posso trocar *traveller's*
  cheques?

Currency	**Câmbio**

- What's the official rate of
  exchange...? → Qual é o câmbio oficial de...?

- At how much is the...? → A como está o...?

- I'd like to exchange... in pounds. → Pretendo cambiar... em libras.

- What's the largest sum of money
  one can exchange? → Qual é o montante máximo que
  se pode cambiar?

- Could you give me some small
  change? → Pode dar-me algum dinheiro
  trocado?

Deposits and withdrawals	**Depósitos e levantamentos**

- I'd like to withdraw a cheque. → Desejo sacar um cheque.

- Which service counter should
  I go to? → A que balcão me devo dirigir?

- May I endorse this cheque? → Posso endossar este cheque?

- Is any identification document
  needed? → É preciso apresentar algum
  documento de identidade?

- I'd like the money in
  low value bank notes /
  high value bank notes. → Desejo o dinheiro
  em notas pequenas /
  em notas grandes.

- Where should I sign? → Onde devo assinar?

- Sign here, please. → Assine aqui, por favor.

- Please go to the cashier's desk
  (teller's desk). → Dirija-se à caixa.

Mail, telephone and telecommunications Correio, telefone e telecomunicações

The post office O posto de correio

• address	endereço	• postcode (UK) / zip code (USA)	código postal
• addressee	destinatário		
• contents	conteúdo	• postman (UK) / mailman (USA)	carteiro
• data	data		
• declared value	valor declarado	• post-office box (P.O.Box)	caixa postal / o apartado
• e-mail	e-mail / correio electrónico	• price-liste / rate	tarifa
		• receipt	recibo
• envelope	envelope	• receipt of acknowledgment	aviso de recepção
• express mail	correio expresso		
• form	formulário / impresso	• registered letter	carta registada
		• rubber stamp / postmark	carimbo
• hour of dispatch	hora de envio		
• launching	lançamento	• sender	remetente
• legible signature	assinatura legível	• stamp	selo
		• subject	assunto
• letter	carta	• tax / fiscal number	número fiscal
• message	mensagem	• telegram	telegrama
• package	pacote	• to deliver	entregar
• paper	papel	• to frank / to stamp	franquiar / selar
• parcel	encomenda	• to stamp	carimbar
• postal order	vale postal	• urgent	urgente
• post-box (UK) / mailbox (USA)	caixa do correio	• weight	peso
		• write in capital letters	escrever em letras maiúsculas
• postcard	postal		

expressions

Where is it?

- Is there any post office near here? →

Onde fica?

Há alguma estação de correios aqui perto?

Personal identification, introducing yourself / someone p. 11 ▪ *Asking questions p. 16*

Information

- I'd like to send a letter.
- Where's the post-box (RU) / mailbox (EUA)?
- At what time is the correspondence collected?
- Where should I go to buy stamps / send a telegram?
- I'd like a stamp for this letter.
- I'd like to frank these postcards.
- What's the rate of letters to Portugal?
- Could you give me a form for a postal order?
- I'd like to send a registered letter with receipt of acknowledgment.
- What time will this telegram arrive?
- How much does each word cost?
- Write the text here and put your name and address.
- This parcel weighs... grammes.
- I'd like to forward it by air mail.

Informações

→ Quero mandar uma carta.
→ Onde é a caixa do correio?
→ A que horas recolhem a correspondência?
→ Onde me devo dirigir para comprar selos / mandar um telegrama?
→ Queria um selo para esta carta.
→ Queria franquiar estes postais.
→ Qual é a tarifa das cartas para Portugal?
→ Pode dar-me um impresso para vale postal?
→ Quero enviar uma carta registada com aviso de recepção.
→ A que horas chegará este telegrama?
→ Quanto é que custa por palavra?
→ Escreva o texto aqui e ponha o seu nome e morada.
→ Esta encomenda pesa... gramas.
→ Quero expedi-la por via aérea.

Telephone services

- May I use the telephone?
- Where's the closest telephone?
- Is this a card-box or coin-box telephone?
- I haven't got coins.
- Where can I buy a phone card?
- Could you get me a telephone book / directory?

Serviços telefónicos

→ Posso utilizar o telefone?
→ Onde fica o telefone mais próximo?
→ Este telefone é de cartão ou de moedas?
→ Não tenho moedas.
→ Onde posso comprar um credifone?
→ Pode arranjar-me uma lista telefónica?

Payment and ways of paying p. 115

• Could you help me dial this number?	Pode ajudar-me a telefonar para este número?
• What's the dialling code number to...?	Qual é o indicativo para...?
• Could you put me through to...?	Pode ligar-me para o...?
• Could you tell me the price of the call when I'm finished?	Pode dizer-me o preço da chamada quando terminar?
• How much does the call cost?	Quanto custa o telefonema?
• I'd like the call to be paid by the receiver.	Quero que a chamada seja paga pelo destinatário.
• The line's engaged.	A linha está interrompida.
• The telephone's out of order.	O telefone está avariado.
• This isn't the number.	Não é este o número.
• You've made a mistake in the number.	Enganou-se no número.
• Can I call back later?	Posso voltar a chamar mais tarde?
• There's a call for you.	Há uma chamada para si.
• Hi / Hello...?	Está / Estou...?
• I'd like to talk to..., please.	Quero falar com..., por favor.
• Operator, my line's been cut.	Telefonista, cortaram-me a ligação.
• Could you call again?	Pode ligar outra vez?
• What number would you like?	Que número deseja?
• I'd like extension number... .	Queria a extensão número... .
• A moment, please.	Um momento, por favor.
• Nobody answers.	Não responde.
• Hang up.	Desligue.
• I don't hear well.	Não ouço bem.
• Can I leave a message?	Posso deixar uma mensagem?
• Could you tell him / her I phoned? My name is... .	Pode dizer-lhe que telefonei? O meu nome é... .
• Ask him / her to call me.	Peça-lhe que me telefone.
• I'd like to pay for the call, please.	Quero pagar a chamada, por favor.

The house **A casa**

Divisions Divisões

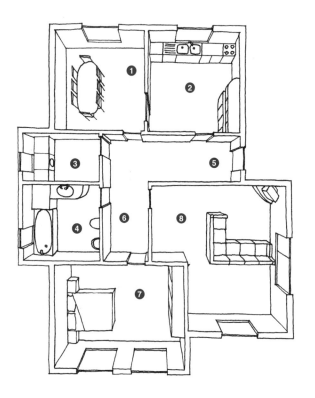

1 the dining-room a sala de jantar	**4** the bathroom a casa de banho	**7** the bedroom o quarto	
2 the kitchen a cozinha	**5** the entrance a entrada	**8** the living-room / lounge a sala de estar	
3 the laundry a lavandaria	**6** the corridor o corredor		

vocabulary

♦ air-conditioning	ar condicionado	♦ lamp	candeeiro
♦ armchair	poltrona	♦ light bulb	candeeiro / lâmpada
♦ attic	sótão		
♦ balcony	varanda	♦ lock	fechadura
♦ bath	banheira	♦ mattress	colchão
♦ bed	cama	♦ mirror	espelho
♦ bedside table	mesa-de-cabeceira	♦ oven	forno
♦ bidet	bidé	♦ painting	quadro
♦ blind	persiana	♦ pot / pan	tacho
♦ bookshelf	estante	♦ refrigerator	frigorífico
♦ carpet	tapete	♦ roof	telhado
♦ ceiling	tecto	♦ shower	duche
♦ chair	cadeira	♦ sink / sluice	banca / pia
♦ chest of drawers	cómoda	♦ soap dish	saboneteira
♦ cooker	fogão	♦ socket	tomada de corrente
♦ cupboard	armário		
♦ curtain	cortina	♦ sofa	sofá
♦ desk	secretária	♦ sofa-bed	sofá-cama
♦ dishes	louça	♦ staircase	escadas
♦ dishwasher	máquina de lavar a louça	♦ steps	degraus
		♦ switch	interruptor
♦ door	porta	♦ table	mesa
♦ doorbell	campainha	♦ tap	torneira
♦ drawer	gaveta	♦ television	televisão
♦ electric hotplate	disco do fogão	♦ terrace	terraço
♦ electricity meter	contador de electricidade	♦ toilet	sanita
		♦ wall	parede
♦ elevator / lift	elevador	♦ wardrobe	guarda-fatos
♦ fireplace	lareira	♦ washbain	lavatório
♦ floor	pavimento	♦ washing machine	máquina de lavar a roupa
♦ garage	garagem		
♦ heating	aquecimento	♦ window	janela
♦ key	chave		

Types of houses Tipos de habitações

♦ apartment	apartamento	♦ building	o prédio
♦ cottage	o chalé	♦ mansion	mansão
♦ skyscraper	o arranha-céus	♦ house	a moradia

vocabulary

♦ house	casa	♦ room	quarto
♦ landlord	senhorio	♦ tenant	inquilino
♦ lease contract	contrato de arrendamento	♦ to buy	comprar
♦ rent	renda	♦ to rent	alugar
♦ renting	aluguer	♦ to sell	vender

expressions

Buying / renting	Compra / aluguer
■ I'd like to rent a house / a room for the month of August.	→ Queria alugar uma casa / um quarto para o mês de Agosto.
■ Where / Who should I direct myself to?	→ Onde / A quem devo dirigir-me?
■ Is it easy to rent / buy houses in this region (around here)?	→ É fácil alugar / comprar casas nesta região?
■ Do you know anybody who will rent / sell a house?	→ Conhece alguém que alugue / venda uma casa?

Health

Pharmacy (chemist's)*

* Drugstore (USA)

Farmácia

`vocabulary`

◆ alcohol	álcool
◆ analgesic	analgésico
◆ antibiotic	antibiótico
◆ antihistamine	anti-histamínico
◆ bandage / elastic bandage	ligadura / ligadura elástica
◆ box / package	caixa / embalagem
◆ capsule	cápsula
◆ condom	preservativo
◆ cotton	algodão
◆ gauze	gaze
◆ hydrogen peroxide	água-oxigenada
◆ inhaler	inalador
◆ injection	injecção
◆ insulin	insulina
◆ lozenge	drageia
◆ medicine	medicamento
◆ ointment	pomada
◆ pharmacist	farmacêutico
◆ phial	ampola
◆ pill	pastilha
◆ plaster	penso rápido
◆ prescription	receita
◆ repellant	repelente
◆ scale	balança
◆ serum	soro
◆ suppository	supositório
◆ swab	cotonete
◆ syringe	seringa
◆ syrup	xarope
◆ tablet	comprimido
◆ thermometer	termómetro
◆ tincture	mercúrio
◆ tincture of iodine	tintura de iodo
◆ tissue	lenço de papel

`expressions`

Where is it?

- Where is the pharmacy / the pharmacy on duty?

- Which pharmacy is opened today?

Onde fica?

→ Onde fica a farmácia / a farmácia de serviço?

→ Que farmácia está aberta hoje?

138 *Diseases* p. 142

Expressing indisposition

- I've got a cold.
- I've got
  a headache /
  a stomachache.
- My throat hurts.
- I don't feel well.
- I'm feeling dizzy.
- A bee stung me.
- My hand's swollen!

Ask for a medicine

- I need...
- I'd like
  some aspirin /
  a soporific drug.
- A first aid box,
  please.
- What medicine could you give
  me for a migraine?
- Could you measure my blood
  pressure?
- The minimum is normally high.
- Your blood pressure is
  normal /
  high /
  low.
- What do you recommend for
  the ...ache?

To elucidate doubts

- What type of medicine is this?
- Should I take it unbroken?
- How many times a day should I
  take...?
- Before, after or during the meals?

Exprimir o mal-estar

- Estou constipado(a).
- Dói-me
  a cabeça /
  o estômago.
- Dói-me a garganta.
- Não me sinto bem.
- Sinto tonturas.
- Uma abelha picou-me.
- Tenho a mão inchada!

Pedir um medicamento

- Preciso de...
- Queria
  uma aspirina /
  um sonífero.
- Uma caixa de primeiros-socorros,
  por favor.
- Que remédio pode dar-me para
  a enxaqueca?
- Pode medir-me a tensão?
- Geralmente a mínima é alta.
- A tensão está
  normal /
  alta /
  baixa.
- O que me pode aconselhar para
  as dores de...?

Esclarecer dúvidas

- Que tipo de medicamento é este?
- Devo tomá-lo inteiro?
- Quantas vezes por dia devo
  tomar...?
- Antes, depois ou durante as
  refeições?

• At what time should I take the antibiotic?	→ **A que horas devo tomar o antibiótico?**
• Doesn't this seize the stomach?	→ **Isto não ataca o estômago?**
• How many spoons of syrup should I take?	→ **Quantas colheres de xarope devo tomar?**
• Can I dissolve this medicine in water?	→ **Posso dissolver este medicamento em água?**
• Does this medicine need a prescription?	→ **É preciso receita médica para este medicamento?**
• I haven't got a prescription, I'm a foreigner.	→ **Não tenho receita, sou estrangeiro.**
• Isn't there a similar product?	→ **Não existe um produto similar?**
• I'm allergic to...	→ **Sou alérgico a...**
• We haven't got this medicine.	→ **Não temos este medicamento.**
• This one's similar.	→ **Este é similar.**

The payment   O pagamento

• How much is it?	→ **Quanto custa?**
• It's..., please.	→ **São..., por favor.**

The doctor's consulting room   Consultório médico

vocabulary

• appointment	consulta	• going to the doctor	ida ao médico
• attending physician	assistente	• medical examination	exame
• clinical analysis	análise	• stethoscope	estetoscópio
• doctor / physician	médico(a)	• waiting-room	sala de espera

Human body Corpo humano

• ankle	tornozelo
• appendix	apêndice
• arm	braço
• artery	artéria
• articulation	articulação
• back	costas
• belly	barriga
• big toe	dedo grande do pé
• bladder	bexiga
• blood	sangue
• bone	osso
• brain	cérebro
• chest	peito
• chin	queixo
• clavicle	clavícula
• ear	orelha / ouvido
• elbow	cotovelo
• eye / eyes	olho / olhos
• face	cara / rosto / face
• finger	dedo
• foot	pé
• gum	gengiva
• hair	cabelo
• hand	mão
• head	cabeça
• heart	coração
• heel	calcanhar
• hip	anca
• intestines	intestinos
• jaw	maxilar
• kidney	rim
• knee	joelho
• kneecap	rótula
• leg	perna
• lip	lábio
• liver	fígado
• lung	pulmão
• mouth	boca
• muscle	músculo
• navel	umbigo
• nerve	nervo
• nervous / lymphatic / system	sistema nervoso / linfático

Asking to call a doctor p. 144

141

• nose	nariz	• tongue	língua
• oesophagus	esófago	• tonsils	amígdalas
• oral cavity	cavidade oral	• tooth:	dente:
		canine /	canino
• rib	costela	incisor /	incisivo
		molar	molar
• shoulder	ombro	• trachea	traqueia
• spinal cord	medula espinal	• trunk	tronco
• stomach	estômago	• vein	veia
• thigh	coxa	• vertebal column	coluna vertebral
• throat	garganta	• wrist	pulso

Diseases Doenças

• amygdalitis	amigdalite	• fever	febre
• anaemia	anemia	• flu / flue	gripe
• arthritis	artrite	• food poisoning	intoxicação alimentar
• bronchitis	bronquite		
• cataract	cataratas	• German measles	rubéola
• chicken-pox	varicela	• laryngitis	laringite
• cold	constipação	• measles	sarampo
• congestion	congestão	• migraine	enxaqueca
• conjunctivitis	conjuntivite	• mumps	papeira
• constipation	constipação	• pharyngitis	faringite
• cough	tosse	• pneumonia	pneumonia
• diphtheria	difteria	• tetanus	tétano
		• tonsillitis	anginas

Medical specialities Especialidades médicas

• allergist	alergologista	• ophthalmologist	oftalmologista
• dentist	dentista	• otolaryngologist	otorrinolaringologista
• dermatologist	dermatologista	• paediatrician	pediatra
• gynaecologist	ginecologista	• specialist	especialista
• midwife	parteira	• stomatologist	estomatologista

Chronic diseases or situations with special follow-up

Doenças crónicas ou situações com acompanhamento especial

• aids	sida	• hernia	hérnia
• allergy	alergia	• pregnancy	gravidez
• asthma	asma	• rheumatism	reumatismo
• cancer	cancro	• tumour	tumor
• diabetes	diabetes	• ulcer	úlcera

expressions

Where is it?

Onde fica?

▪ Is there a doctor here?	→	Há aqui um médico?
▪ I need a doctor, quickly!	→	Preciso de um médico, depressa!
▪ Call a doctor, please.	→	Telefone a um médico, por favor.
▪ Is there a doctor's consulting room nearby?	→	Há um consultório aqui perto?
▪ Where is Dr...'s consulting room?	→	Onde é o consultório do Dr....?
▪ I'm looking for a general practitioner's consulting room.	→	Procuro um consultório de clínica geral.
▪ Can you recommend me a good dentist?	→	Pode aconselhar-me um bom dentista?

Asking to call a doctor

- Call a doctor! → Chame um médico!

- I'm → Estou
  ill (sick) /   doente /
  hurt.   ferido(a).

- Is there a doctor in this hotel? → Há um médico neste hotel?

- Could you possibly call an ambulance? → É possível chamar uma ambulância?

- Can the doctor come and examine me here? → O médico poderá vir examinar-me aqui?

- At what time can the doctor come? → A que horas poderá vir o médico?

- I'm not feeling well, I think I'm going to faint. → Não me sinto bem, acho que vou desmaiar.

Pedir para chamar um médico

To make an appointment

- I've made an appointment. → Tenho uma consulta marcada.

- I'd like an appointment urgently, please. → Queria uma consulta com urgência, por favor.

- Can't it be before that? → Não pode ser antes?

- What are the consulting hours? → Qual é o horário das consultas?

Marcar uma consulta

Describing an indisposition / relating symptoms

- I'm sick. → Estou doente.

- I'm running a fever. → Tenho febre.

- I've got a strong backache and I've been coughing a little. → Tenho dores fortes nas costas e um pouco de tosse.

- My nose doesn't stop bleeding. → O nariz não pára de sangrar.

- I've got a pain → Tenho uma dor
  in my (right, left) arm /   no braço (direito, esquerdo) /
  in my (right, left) hand /   na mão (direita, esquerda) /
  in my (right, left) leg.   na perna (direita, esquerda).

- I've got many cramps. → Tenho muitas cãibras.

- My finger is swollen. → Tenho o dedo inchado.

Descrever um mal-estar / relatar sintomas

- Can you see
  this bubble /
  this lump /
  this cut /
  this swelling /
  this eruption /
  this insect bite?

→ Pode ver
  esta bolha /
  este papo /
  este golpe /
  este inchaço /
  esta erupção /
  esta picadela de insecto?

- It hurts. → **Dói-me.**

- My chest hurts. → **Dói-me o peito.**

- I have difficulty in breathing. → **Falta-me o ar.**

- It hurts when I bend down. → **Dói-me quando me baixo.**

- It hurts when you press here. → **Dói-me quando carrega aqui.**

- I'm feeling dizzy. → **Sinto tonturas.**

- I very often feel shivery. → **Tenho muitos calafrios.**

- I've fainted
  twice /
  three times.

→ **Desmaiei
  duas vezes /
  três vezes.**

- I had some blood tests done
  before coming here.

→ **Fiz análises ao sangue
  antes de vir para cá.**

- All the results were normal. → **Os valores eram todos normais.**

- My cholesterol level is high. → **Tenho o colesterol alto.**

- I throw up a lot. → **Vomito muito.**

- I started feeling ill after having
  eaten.

→ **Comecei a sentir-me mal depois
  de comer.**

- I've been having a weak digestion
  for quite a few days.

→ **Há já alguns dias que não faço
  bem a digestão.**

- I've been having strong heartburn. → **Sinto azia forte no estômago.**

- I suffer from spasmodic colitis. → **Sofro de colite espasmódica.**

- I'm constipated. → **Tenho prisão de ventre.**

- I've got gastritis. → **Tenho gastrite.**

- I've already been operated to the
  appendix.

→ **Já fui operado ao apêndice.**

- I've got headaches very often. → **Tenho muitas vezes dores de
  cabeça.**

- I'm a cardiac patient. → **Sou doente cardíaco(a).**

- I suffer from insomnia. → **Sofro de insónias.**

- I haven't been able to sleep. → **Não consigo dormir.**

- I've got nightmares. → **Tenho pesadelos.**

- Could you prescribe
  an anti-depressant /
  sedative /
  tranquillizer /
  soporific drug? → Pode receitar-me um
  antidepressivo /
  sedativo /
  tranquilizante /
  sonífero?

- I feel depressed. → Sinto-me deprimido(a).

- I can't eat. → Não consigo comer.

- I've broken my denture. → Parti a minha dentadura postiça.

- Could you repair it? → Pode consertá-la?

- When will it be ready? → Quando estará pronta?

- I've got a toothache. → Dói-me um dente.

- My wisdom tooth hurts. → Dói-me o dente do siso.

- I've got an abscess. → Tenho um abcesso.

- The gum's
  very swollen /
  bleeding. → A gengiva
  está muito inflamada /
  sangra.

- It's a filled tooth. → É um dente obturado.

- I've lost a tooth filling. → Perdi o chumbo de um dente.

- The tooth must have some decay. → O dente deve estar cariado.

- Could you redo it? → Pode reconstituí-lo?

- Could you mend it temporarily? → Pode arranjá-lo temporariamente?

- I don't want it to be removed. → Não quero que seja extraído.

- Must it be removed? → Tem de ser extraído?

- Is anaesthetic going to be
  needed? → Vai ser preciso anestesia?

- How long does the effect
  of anaesthetic last? → Quanto tempo dura o efeito da
  anestesia?

- What painkiller should I take? → Aconselha-me algum
  analgésico para as dores?

- When do I have to come back for
  the treatment? → Quando é que volto para o
  tratamento?

- This is the medicine I usually
  take. → Este é o remédio que costumo
  tomar.

- I need this medicine. → Preciso deste medicamento.

- I'm expecting a baby. → Espero um bebé.

- May I travel? → Posso viajar?

The doctor's advice

O conselho médico

- For how long have you been having this pain? → Há quanto tempo tem esta dor?

- How long have you been feeling like this? → Há quanto tempo se sente assim?

- What's the dose of insulin that you've been taking? → Qual é a dose de insulina que está a tomar?

- Is it orally taken or by injection? → Em injecção ou por via oral?

- There's no reason for concern. → Não há razão para preocupações.

- You've got... . → Tem... .

- I'm going to prescribe
  a medicine /
  an antibiotic /
  some pills. → Vou receitar-lhe
  um medicamento /
  um antibiótico /
  uns comprimidos.

- Take them once /
  twice /
  three times a day. → Tome-os uma /
  duas /
  três vezes por dia.

- Come back in three days. → Volte daqui a três dias.

- Take a good rest for the next few days. → Descanse bem estes próximos dias.

- Don't strain yourself so much. → Não faça muitos esforços.

- When is the baby due? → Quando nasce o bebé?

- You won't be able to travel until... . → Não poderá viajar até... .

- Drink
  a lot of water /
  many liquids. → Beba
  muita água /
  muitos líquidos.

- Avoid alcoholic drinks. → Evite as bebidas alcoólicas.

- This is a nettle-rash due to an allergy to... . → Isto é uma urticária devido a uma alergia a... .

- You have to stop smoking. → Tem de parar de fumar.

- You have to treat that tooth decay. → Tem de tratar essa cárie.

- Don't forget to brush your teeth daily. → Não se esqueça de lavar os dentes diariamente.

- Use dental floss. → Use fio dental.

- You must
  stay in bed /
  go to the hospital. → Tem de
  ficar de cama /
  ir para o hospital.

- Some medical exames are going to be necessary. → Vão ser necessários alguns exames.

To thank / say goodbye p. 34

The payment   ### Pagamento

- What are your fees?   → **Quais são os seus honorários?**
- Should I pay now or will you send → **Pago agora ou manda-me a conta?**
  me the bill?
- It's better to pay now.   → **É melhor pagar já.**
- I'll send you the bill.   → **Mando-lhe a conta.**
- Thank you, doctor.   → **Obrigado(a), Doutor(a).**

Hospital **Hospital**

`vocabulary`

◆ adhesive plaster	adesivo	◆	injecção
◆ alcohol	álcool	intravenous / intramuscular injection	intravenosa / intramuscular
◆ bandage	ligadura		
◆ blister	bolha	◆ itch	comichão
◆ blood group	grupo sanguíneo	◆ operation	operação
◆ callosity	calosidade	◆ plaster of Paris	gesso
◆ cotton wool	algodão	◆ radiography	radiografia
◆ crutches	muletas	◆ stretcher	maca
◆ CAT scan	TAC (tomografia axial computorizada)	◆ surgery	cirurgia / intervenção cirúrgica
		◆ tincture	mercúrio
◆ dressing	penso	◆ vaccination recor / bulletin	boletim de vacinas
◆ echography	ecografia		
◆ HIV negative	seronegativo	◆ vaccine	vacina
◆ HIV positive	seropositivo	◆ wheel-chair	cadeira de rodas
		◆ X-ray	raios X

The hospital lodgings **As instalações hospitalares**   ◆

◆ buffet	bufete	◆ room	quarto
◆ canteen	cantina	◆ speciality	especialidade
◆ emergency room	urgências	◆ waiting-room	sala de espera
◆ operating-theatre	sala de operações		
◆ reception	recepção	◆ ward	enfermaria

Hospital staff Pessoal hospitalar

♦ anaesthetist	anestesista		♦ nurse	enfermeiro
♦ cardiologist	cardiologista		♦ psychiatrist	psiquiatra
♦ doctor	médico		♦ specialist	especialista
♦ general practitioner	médico geral		♦ stretcher-bearer	maqueiro
♦ neurologist	neurologista		♦ surgeon	cirurgião

<code>expressions</code>

Where is it?

- Where's room number...?
- On which floor are
  the burnt /
  the infectious and contagious
  patients?
- Where is the maternity ward?
- Where is the bathroom / toilet?

Onde fica?

→ Onde fica o quarto número...?
→ Em que andar ficam
  os queimados /
  os doentes infecto-contagiosos?
→ Onde é a sala de partos?
→ Onde fica a casa de banho?

Describe a wound

- Look at the wound.
- The wound needs to be
  disinfected.
- I've got a
  cutaneous /
  respiratory /
  intestinal infection.
- The skin
  is scratched /
  is bruised /
  has red patches.
- You're severely burnt.
- They're sun burns.
- What is your diagnosis, doctor?
- You've got (an exposed) fracture.

Descrever um ferimento

→ Veja a ferida.
→ É preciso desinfectar a ferida.
→ Tenho uma infecção
  cutânea /
  respiratória /
  intestinal.
→ A pele está
  arranhada /
  pisada /
  às manchas vermelhas.
→ Está gravemente queimado.
→ São queimaduras solares.
→ Qual é o seu diagnóstico, doutor?
→ Tem uma fractura (exposta).

- You've got a haemorrhage. → **Tem uma hemorragia.**

- You need a blood transfusion. → **Precisa de uma transfusão.**

- It's → **É**
  an infection /   **uma infecção /**
  an inflammation /   **uma inflamação /**
  a haematoma.   **um hematoma.**

- You're going to be operated. → **Vai ser operado.**

- You'll have → **Terá uma anestesia**
  local /   **local /**
  general anaesthetic.   **geral.**

- Quick! A gastric lavage has to be done. → **Rápido! Tem de ser feita uma lavagem ao estômago.**

Contact with the staff

Contactos com o pessoal

- Nurse, call the doctor! → **Enfermeira, chame o médico!**

- Could you help me get up? → **Pode ajudar-me a levantar-me?**

- Could you please provide me with → **Pode arranjar-me mais**
  another pillow /   **uma almofada /**
  blanket?   **um cobertor, por favor?**

- I'm → **Tenho**
  cold /   **frio /**
  hot.   **calor.**

- I've dropped one of my contact lenses. → **Deixei cair uma lente de contacto!**

- Do I really have to eat diet food? → **Tenho mesmo de comer dieta?**

- When is the doctor coming to observe me? → **Quando é que o médico vem observar-me?**

- Are you going → **Vai**
  to let me leave today /   **deixar-me sair hoje /**
  discharge me?   **dar-me alta?**

Nature and sports

Nature and nature reserves / Natureza e parques naturais

vocabulary

Park Parque

◆ bench	banco	◆ picnic	piquenique
◆ fountain	fonte	◆ river	rio
◆ garden	jardim	◆ shadow	sombra
◆ lake / pond	lago	◆ stream	regato
◆ maintenance circuit	circuito de manutenção	◆ tree	árvore

Animals and plants Animais e plantas

vocabulary

The animals Os animais

◆ bear	urso	◆ hippopotamus	hipopótamo
◆ cannary	canário	◆ horse	cavalo
◆ cat	gato	◆ hyena	hiena
◆ chimpanzee	chimpanzé	◆ leopard	leopardo
◆ cock	galo	◆ lion	leão
◆ cow	vaca	◆ mare	égua
◆ crocodile	crocodilo	◆ monkey	macaco
◆ dog	cão	◆ ox	boi
◆ donkey	burro	◆ parrot	papagaio
◆ duck	pato	◆ pig	porco
◆ eagle	águia	◆ rhinoceros	rinoceronte
◆ elephant	elefante	◆ seal	foca
◆ fox	raposa	◆ snake	serpente
◆ giraffe	girafa	◆ tiger	tigre
◆ goose	ganso	◆ tortoise	tartaruga
◆ gorilla	gorila	◆ zebra	zebra
◆ hamster	hamster		
◆ hen	galinha		

The plants As plantas

◆ begonia	begónia	◆ hyacinth	jacinto
◆ cactus	cacto	◆ jasmine	jasmim
◆ carnation	cravo	◆ jonquil	junquilho
◆ cyclamen	cíclame	◆ lily	lírio
◆ dahlia	dália	◆ orchids	orquídea
◆ daisy	margarida	◆ poppy	papoila
◆ flower	flor	◆ rose	rosa
◆ fuchsia	brincos-de-prin-cesa	◆ tulip	tulipa
◆ gladiolus	gladíolo	◆ violet	violeta

expressions

▪ Animals are not allowed.	→	**É proibida a entrada de animais.**
▪ You're not allowed to feed the animals.	→	**É proibido dar de comer aos animais.**

The beach, the country-side and the mountain
Praia, campo e montanha

vocabulary

Beach Praia

◆ beach ball	bola de praia	◆ ocean	oceano
◆ beach towel	toalha de praia	◆ paddle boat	gaivota
◆ bucket	balde	◆ pebble	seixo
◆ to dive	mergulhar	◆ protector / sun-tan cream	protector / creme solar
◆ diving mask / goggles	máscara (de mergulho)	◆ sand	areia
◆ dressing room	vestiário	◆ sea	mar
◆ flippers	barbatanas	◆ seaweed	algas
◆ kite	papagaio de papel	◆ shell	concha
◆ lifeguard	nadador-salvador	◆ snorkel	tubo de respiração para a pesca submarina
◆ life buoy	bóia		

• spade	pá	• to swim	nadar
• suntan lotion	bronzeador	• swimming suit	fato de banho
• sandhill / sand dune	duna	• table tennis bats / badminton rackets	raquetas de pingue-pongue / de badmínton

Country-side Campo

• barn	celeiro	• river	rio
• bog	lodaçal	• ruins	ruína
• bridge	ponte	• shore	margem
• cascade	cascata	• spring	nascente
• country-side / meadow	campo	• stream	ribeiro
• estuary	estuário	• swamp	pântano
• farm	quinta	• tower	torre
• forest	floresta	• track	pista
• fountain	fonte	• tree	árvore
• lake	lago	• valley	vale
• mill	moinho	• water fall	queda de água
• mouth of a river	foz	• well	poço
• path	caminho	• wood(s)	bosque / mata

Mountain Montanha

• altitude	altitude	• ravine / gorge	desfiladeiro
• avalanche	avalancha		
• boot	bota	• ridge of mountains / mountain range	serra
• crag	penhasco		
• to escalate	escalar		
• hill	monte	• rock	rochedo
• hillock	colina	• rucksack	mochila
• mountain climbing	alpinismo	• shelter	abrigo
		• ski	esqui
• peak / summit	pico / cume	• ski stick	bastão de esqui
		• snow	neve

expressions

■ Is there no danger in swimming here?	→ Pode-se nadar sem perigo?
■ Is there a life-saver?	→ Há um salva-vidas?
■ I don't know how to swim very well.	→ Não sei nadar muito bem.
■ I prefer to use a life buoy.	→ Prefiro usar uma bóia.
■ Is there any danger for the children?	→ Não há perigo para as crianças?

■ The sea is very
   calm /
   rough.
	→ O mar está muito
	   calmo /
	   agitado.

■ The waves are enormous.	→ Há ondas grandes.

■ At what time is the
   high /
   low tide?
	→ A que horas é a maré
	   alta /
	   baixa?

■ What's the temperature of the water?	→ Qual é a temperatura da água?
■ The sand burns.	→ A areia queima.
■ Be careful with the sunburns.	→ Cuidado com as queimaduras!
■ The sun's very hot; I prefer the shadow.	→ O sol está muito quente; prefiro a sombra.
■ Let's go for a walk by the sea.	→ Vamos passear à beira-mar.

■ I'd like to rent
   a beach tent /
   a deck-chair /
   a sunshade /
   a diving equipment /
   a pneumatic mattress /
   a surfboard /
   water skis.
	→ Queria alugar
	   uma barraca /
	   uma cadeira de encosto /
	   um guarda-sol /
	   um equipamento de mergulhador /
	   um colchão pneumático /
	   uma prancha /
	   esquis aquáticos.

■ Where can I rent
   an inflatable dinghy /
   a canoe /
   a rowing-boat?
	→ Onde posso alugar
	   um barco pneumático /
	   uma canoa /
	   um barco a remos?

■ How much is it per hour?	→ Qual é o preço por hora?
■ What's the river called?	→ Como se chama este rio?

■ Can we swim
   in the lake /
   in the river?
	→ Pode-se nadar
	   no lago /
	   no rio?

■ Can we drink this water?	→ Pode-se beber desta água?

Is this a good fishing area?	→	**Este é um bom lugar para pescar?**
It snowed all night.	→	**Nevou toda a noite.**
I know how to ski very well.	→	**Sei esquiar muito bem.**
I don't know how to ski.	→	**Não sei esquiar.**
I'd like to have some lessons to learn.	→	**Gostaria de ter lições para aprender.**
Where is the skiing school?	→	**Onde é a escola de esqui?**
How many lessons should I have?	→	**Quantas aulas devo ter?**
Will I be able to learn in a week?	→	**Conseguirei aprender numa semana?**
I'd prefer a private instructor.	→	**Preferia um instrutor só para mim.**
How much is it per day?	→	**Quanto custa por dia?**
Do you also rent skis and boots?	→	**Aluga também esquis e botas?**
Do we have to use the chair-lift for the climbing?	→	**É preciso subir por telecadeira?**
Where does this cable-car go to?	→	**Onde leva este teleférico?**
At what time is the last descent?	→	**A que horas é a última descida?**
Where can I find a mountaineer?	→	**Onde posso encontrar um guia de montanha?**
What's this mountains' height?	→	**Que altitude tem esta montanha?**
Is the climbing very difficult?	→	**É muito difícil a subida?**
May I go up there?	→	**Posso ir lá acima?**
How far is it to the top?	→	**Quanto falta para o cume?**
Are we going to get there before nightfall?	→	**Chegaremos antes do anoitecer?**
Where does this path take us?	→	**Onde leva este caminho?**
The boots hurt me.	→	**As botas magoam-me.**
The rucksack weighs a lot.	→	**A mochila pesa muito.**
Is there any shelter where we could spend the night?	→	**Há algum abrigo onde possamos passar a noite?**

Indicating a place p. 25

Sports **Desporto**

• athletics	atletismo	• judo	judo
• badminton	badminton	• karate	karaté
• baseball	basebol	• parachute jumping	pára-quedismo
• basketball	basquetebol		
• boxing	boxe	• ping-pong	pingue-pongue
• cycling	ciclismo	• polo	pólo
• fence	esgrima	• skating	patinagem
• football	futebol	• ski	esqui
• golf	golfe	• squash	squash
• gymnastics	ginástica	• surf	surf
• handball	andebol	• swimming	natação
• hockey	hóquei	• tennis	ténis
• horse-riding	equitação	• volleyball	voleibol
		• windsurf	windsurf

vocabulary

• athlete	atleta	• goal-keeper	guarda-redes
• ball	bola	• goal-posts	baliza
• draw	empate	• gymnasium	ginásio
• final	final	• match	desafio
• final score	resultado	• offside	fora de jogo
• foul	falta	• penalty	grande penalidade / penalty
• free kick	livre directo		
• goal area	pequena área	• penalty box	grande área

• play	jogar	• spectator's seats	bancada
• player	jogador	• stadium	estádio
• red card	cartão vermelho	• take the kick	marcar
• referee	árbitro	• team	equipa
• round	eliminatória	• to lose	perder
• send off	expulsar	• to win	ganhar
• shot	remate	• yellow card	cartão amarelo

espressions

- Is there
  a football /
  basketball /
  handball
  match today?
  → **Há algum desafio
  de futebol /
  de basquetebol /
  de andebol
  hoje?**

- Could you get me a ticket? → **Pode arranjar-me um bilhete?**

- How much is the entrance fee? → **Qual é o preço da entrada /
  do bilhete?**

- Where is the stadium? → **Onde fica o estádio?**

- Who is playing? → **Quem joga?**

- At what time does the match
  start?
  → **A que horas começa o jogo?**

- What's the score? → **Quanto está?**

- Is there a swimming-pool nearby? → **Há alguma piscina aqui perto?**

- Is it
  an outdoor /
  an indoor /
  warm-water swimming-pool?
  → **É
  ao ar livre /
  coberta /
  aquecida?**

- Do I have to use a swimming cap? → **Tenho de usar touca?**